P9-AOY-693

Биографии,
автобиографии,
мемуары

Владимир Глоцер

Марина Дурново. Мой муж Даниил Хармс

МОСКВА

УДК 821.161.1
ББК 84(2Рос-Рус)6-44
Г54

Серийное оформление Андрея Рыбакова

Оформление обложки Валерия Гореликова

Издание подготовлено при участии издательства «Азбука».

Издательство выражает благодарность Ильдару Галееву и Дмитрию Вышеславцеву за помощь в подготовке издания и предоставление фотографий.

ISBN 978-5-389-09156-6

Еще в начале восьмидесятых годов в Ленинград, на улицу Маяковского, бывшую Надеждинскую, в квартиру по соседству с той, в которой до ареста в 1941 году жил Даниил Хармс, приходили письма из Южной Америки, куда судьба забросила Марину Малич, жену Хармса. Она писала из Венесуэлы своей подруге и, кажется, двоюродной сестре Марине Ржевуской, которая была замужем за искусствоведом Всеволодом Николаевичем Петровым, знавшим Хармса перед войной. Но в 1983 году, со смертью М. Н. Ржевуской, эта переписка оборвалась. Дочь Ржевуской и Петрова, тоже Марина, и сестра Хармса, Елизавета Ивановна Тобилевич, урожденная Ювачева, с которой я встречался, приезжая время от времени в Ленинград, были уверены, что Марины Владимировны Малич, скорей всего, уже нет в живых. «А то бы она, конечно, писала».

В силу многих причин даже в начале восьмидесятых годов переписка, а тем более поездка в далекую и неведомую Венесуэлу казалась мне столь нереальной, что я о ней никак не помышлял.

Но что-то заставляло меня думать: а вдруг Марина Малич еще жива? а вдруг?!.

Рассказ о ее судьбе, который я впервые услышал от сестры Хармса, выглядел фантастическим. Боже мой, чего только не случается на белом свете!

Но как же ее разыскать, если она на письма больше не откликается? Я пошел по проторенному пути: обратился в посольство Венесуэлы в Москве, к послу Хесусу Фернандесу, с просьбой помочь мне найти Марину Вишес, или Уишес (такая фамилия была в адресе, который дала мне дочь Ржевуской и Петрова), проживающую в городе Валенсия. Сотрудницы посольства, сами и через своих друзей и родственников, пытались содействовать моему поиску, но все было безуспешно: книжный магазин, который когда-то содержала Марина Владимировна, давно уже не существовал, и никто не знал там, жива ли еще его владелица или уже нет. На беду, никаких адресных бюро, наподобие наших, в Венесуэле не было и в помине.

Я почти оставил свою затею разыскать жену Хармса, и только желание узнать хотя бы дату смерти, важную для историков литературы, заставляло меня снова и снова звонить в посольство, поскольку и год рождения, и год смерти Марины Малич во всех статьях, посвященных Хармсу, авторы, включая меня самого, писали со знаком вопроса.

И все же, когда я услышал от художника Леонида Тишкова, с которым мы сделали несколько книжек, в том числе две книжки Хармса («Старуха» и «Случаи»), что у него будет в столице Венесуэлы Кара́касе персональная выставка, я попросил его разузнать там, на месте, жива ли Марина Малич.

И представьте себе — венесуэльская приятельница Л. Тишкова Мария Дельгадо, когда Тишков уже вернулся в Москву, разыскала по его просьбе Марину Владимировну в Валенсии и сообщила ее адрес.

Жива!

Тогда я через Тишкова попросил Марию Дельгадо поскорей встретиться с Мариной Владимировной и записать все, что она помнит о Данииле Хармсе, изучением жизни и сочинений которого я занимаюсь больше четырех десятилетий. Но, как потом сказала мне сама Марина Владимировна, она не стала вот так, вдруг, незнакомому человеку рассказывать о Дане. Мария Дельгадо приготовилась записывать — и ничего не записала. А до меня долетело: «Прошло столько лет, и она уже ничего не помнит, кроме того, что он очень любил девушек».

Однако теперь я наконец располагал точным адресом Марины Владимировны Дурново (такова была ее новая фамилия) и написал ей в Венесуэлу — вернее сказать, отправил письмо, приготовленное почти десять лет назад.

И — о чудо! — из Венесуэлы пришел ответ. «Милый Владiмir Iosифович, — писала мне Марина Владимировна. — Во первых должна Вам сказать что мне очень тяжело писать по-русски. Жизнь моя сложилась так что я скорее избегала русских. Смерть моего мужа, Даниила Хармс, навсегда осталась в моей памяти. Это было вчера. Это было так ужасно что этого забыть нельзя». В конце длинного письма она писала: «Владимир Iocifovich — приежзайти, мы долго можем говорить? ⟨...⟩ С Вами я могла бы написать книгу и большую».

В начале ноября 1996 года я вылетел из Москвы в Венесуэлу и через двадцать часов пути, поздним вечером, позвонил в квартиру Марины Владимировны Дурново.

Передо мной предстала изящная маленькая женщина, с голубыми глазами, очень живая, подвижная, пробегающая по своей просторной квартире как девочка, чуть ли не вприскочку. Благородные черты ее красивого лица и прекрасные манеры выдавали аристократическое происхождение.

Несмотря на то что мы виделись впервые в жизни, мы очень быстро сошлись и через неделю признались друг другу, что у обоих такое чувство, будто знакомы уже много лет. Может быть, без этого взаимного ощущения, думаю я сейчас, наши беседы, исповедальные для Марины Владимировны, были бы, наверное, немыслимы.

Две недели, что я провел в доме гостеприимной Марины Владимировны, я ловил любую возможность разговорить ее, настроить на воспоминания, которые записывал — для верности, чтобы не подвела техника, — одновременно на два магнитофона.

Запись, признáюсь, шла очень трудно. Все, о чем вспоминала Марина Владимировна, было так давно! Восемьдесят, семьдесят, шестьдесят лет, полвека назад... Когда я жаждал каких-то подробностей, она говорила: «Я хотела бы увидеть человека, который бы после пятидесяти лет вспомнил в деталях все происшедшее...» Иногда она обрывала себя, останавливала: «Я не знаю, — может быть, нехорошо, что я об этом говорю, даже страшно...» Но чаще подолгу замолкала, не в силах унять волнение, и магнитофонная пленка продолжала крутиться, записывая шум улицы, врывающийся в открытые всегда балконные двери.

Уставая говорить по-русски, она вдруг переходила на привычный ей испанский или английский, а то — и на любимый ею французский. И ввиду этого смешения, когда позабывались простые русские слова, приходилось тут же распутывать лингвистический клубок, поскольку не было никакой надежды, что удастся еще раз вернуть ее в то же самое эмоциональное состояние.

Случилось так, что воспоминания Марины Владимировны вышли за пределы первоначального интереса, с которым я к ней обратился, и передо мной прошла — пускай отрывочно — вся ее жизнь, пожалуй не менее интересная, чем годы с Хармсом, и потому, с согласия мемуаристки, я не счел возможным обрывать свою запись на гибели Хармса. Это уже были воспоминания не только о нем, но и о себе самой — в поле и вне поля его зрения.

Я слушал Марину Владимировну Дурново час за часом и понимал, что она, по существу, последняя свидетельница жизни Даниила Хармса.

Владимир Глоцер

Посвящаю моему сыну.

Марина Дурново

Когда я вышла из чрева моей матери, доктор, который был при родах — тогда рожали дома, — сказал только: «Боже, какой ужас!» Я была всех цветов: и голубая, и желтая, и красная... Бабушка мне все это не раз вспоминала.

Я родилась в доме князей Голицыных, на Фонтанке. Моя бабушка, Елизавета Григорьевна, — вернее сказать, я всегда называю ее моей бабушкой, но она была тетей моей матери, — принимала у нее роды.

Моя мать в те дни хотела во что бы то ни стало попасть на громадный бал, который каждый год устраивали в Зимнем дворце, и она была приглашена на него, потому что была племянницей моей бабушки. У матери была одна мечта: чтобы я скорей выскочила. Избавиться от меня. И ей посоветовали проглотить какую-то пилюлю. Уж не знаю, побежала ли она потом на бал, или бабушка ей скандал устроила, что это безобразие, — не хочу сочинять.

Моя девичья фамилия — Малич — сербского происхождения. Это фамилия моей бабушки. Она рожденная Малич, княгиня Голицына.

История моей семьи заслуживает того, чтобы я о ней рассказала, и мне придется начать с прадедушки.

В прошлом веке в той стране, где сейчас идет междоусобная война, жил молодой серб. Он был доктор. И он решил вырваться из привычного круга и поехать в Россию, в Петербург. В Петербурге его посватали за очень богатую девушку, они поженились, и он разбогател. И бросил свою врачебную практику, которая теперь ему была не нужна.

У них родилось пятеро детей: две дочери и три сына. Имя одного из сыновей — кажется, Григория — я видела своими глазами в Царском Селе написанным золотыми буквами на доске какого-то привилегированного учебного заведения, в которое родители записывают своих детей чуть ли не за десятилетие вперед.

Между прочим, мне говорили, что Григорий и оба его брата были все маленького роста.

Григорий безумно увлекался лошадьми, как и остальные братья. Как-то он кутил с друзьями в каком-то ресторане, а там в это время пела чистокровная цыганка. Она всегда пела по вечерам в больших ресторанах. И Григорий влюбился в нее, причем до такой степени, что стал ходить повсюду, где она пела. В конце концов он женился на ней. И несмотря на то что блестяще окончил учебное заведение и принадлежал к аристократическому роду, он не мог сделать карьеру, потому что был женат на цыганке, — это была несоизмеримая дистанция.

Все три брата моей бабушки жили в Москве.

А ее сестра вышла замуж за немца, который работал кем-то в Зимнем дворце. У них долго не было детей. Наконец родилась девочка, которую назвали Лилиана. Она была несказанно красива. Мать обожала ее, возила в Париж, в Ниццу... Когда она была уже девушкой, она чем-то заболела — может быть, туберкулезом. Мать повезла ее в Ниццу, сказав: «Мы поедем дать ей эту радость — быть с цветами». Они вернулись из Ниццы, и Лилиана вскоре умерла. Когда гроб стоял еще в доме, сестра бабушки поехала в Царское Село, где незадолго до этого построили высокую башню. Она поднялась на самый верх и бросилась с нее. И оставила записку, чтобы ее и Лилиану похоронили вместе, в Париже, в таком-то месте, с такими-то цветами... И все это было исполнено. В Париж увезли два гроба.

У бабушки было двое детей: дочь, тоже Елизавета, Лили́, которую я звала мамой, и сын Ася, Александр. Он служил на флоте и был любимцем бабушки. Я помню, иду через гостиную и там большой портрет его. Во весь рост. Он в своей морской форме, очень красивый, породистый такой.

Однажды Ася пошел, как обычно, в свой клуб играть в карты. Он сидел и играл. В это время открылась дверь и ввалился какой-то совершенно пьяный офицер, который, проходя мимо Аси, мазнул перчаткой по его лицу. Это было страшное оскорбление. Уф! И это был конец. Александр встал и вызвал его на дуэль. Ничего другого он сделать, по установленным там правилам, не мог. Но до дуэли дело не дошло. Ася пришел к себе — он жил уже отдельно, в части, — и застрелился. В двадцать один год.

Бабушка чуть не сошла с ума от горя. Красавца, подобного Асе, просто не было. И бабушка зацепилась за меня. У ее дочери, Лили́, уже была своя дочь, Ольга, которую назвали в честь моей матери. Она была старше меня на полтора года.

А моя мать после моего рождения вышла замуж и уехала в Париж. Я ее совершенно не помнила и никогда не принимала за маму.

Мамой я звала дочь бабушки, Елизавету, Лили. Она была моей тетей, но все равно она для меня мама. А Ольга была, значит, моей сестрой.

Про своего отца я совсем ничего не знаю. Отчество Владимировна у меня от дедушки.

Лили сказала мне: «Не смей называть меня иначе как мама. Я твоя мама, я тебя люблю, и ты делай что хочешь, а бабушка пусть помалкивает...» — и чмок меня, чмок, чмок...

Прошу прощенья за то, что воспоминания у меня не очень связные. Вспоминаешь кусками, наплывами. Прошло почти восемьдесят лет с тех пор, как все было, и многое я уже не помню.

Дедушка был князь Голицын. Для меня это был бог — он был неописуемой красоты. Я сейчас вспоминаю его в полном наряде, в военном мундире, с орденами. Его взяли вскоре после семнадцатого года, посадили в тюрьму и увезли в Москву, в ЧК.

Мы жили на Фонтанке. Голицыны были небогаты, дом у них был не собственный, они его просто снимали.

Но я помню, на полу одной из комнат лежала огромная шкура белого медведя, и мы с Ольгой любили на ней играть. Эту шкуру мы почти сразу продали. Помню широкую тахту, покрытую покрывалом с шелковыми кистями, их было штук пятнадцать или двадцать, свисающие, легкие. Помню комод с инкрустациями, он назывался буль, по известному стилю мебели. В нем было множество ящиков, ящичков, и там все такое интересное, разные штучки, такие и этакие, зеленые, красные, синие платки. И мы с Ольгой шпильки туда пихали, только чтобы открыть ящики, и все там тормошили, переворачивали.

Потом, после обыска, все это забрали, и мы остались без всего, фактически на улице.

Когда арестовали дедушку, князя Голицына, и он уже сидел, наверное, полгода, бабушка поехала в Москву просить за него, чтобы его освободили.

Она выстояла очередь к жене Горького, которая была председателем Красного Креста. Стояла и ночь и день и наконец вошла к ней в кабинет.

Бабушка упала на колени и стала просить за мужа.

Жена Горького сказала бабушке: «Встаньте. Я сделаю все возможное, чтобы вашего мужа освободили».

И бабушка вернулась с дедушкой. Я была еще маленькая.

А дедушка никак не мог понять, что вообще происходит?! За что он — князь Голицын — вдруг — мог быть схвачен — и упечен в тюрьму! Только за то, что он князь Голицын? Он же ничего, абсолютно ничего не сделал дурного, за что его можно было бы сажать. Если б он еще кого-нибудь поколотил или сотворил что-то еще ужасное. Нет, ничего подобного.

Он был чудесный, спокойный, невозможно красивый старик. У него была только одна слабость — бегал за девчонками, которые приходили работать в доме.

Прожил он после освобождения недолго. Он был совершенно сломлен. Тюрьма и арест его подкосили.

У нас в детстве была гувернантка, молодая француженка. Звали ее Мату́. Мы ее очень любили. «Мату! Мату!» — кричали мы ей, маленькие дети.

Она всегда громко:

— Enfants, enfants! ⟨Дети, дети!⟩ Пора спать идти! пора спать!

Году в двадцать третьем или двадцать пятом она уехала обратно во Францию.

Потом мы переехали с Фонтанки ближе к Литейному. Жили на первом этаже. Там прошло мое детство.

Школу совершенно не помню. Она прошла как бы мимо меня. Но тогда уже было не до школы, потому что начались сплошные беспорядки.

Однажды — уже вовсю шла Гражданская война, и это было после того, как дедушку, князя Голицына, арестовали, — бабушка разбудила меня ночью и сказала: «Мариша, я сделаю пакет, и я даже не хочу, чтобы ты видела, что́ в нем, но я хочу, чтобы ты пошла со мной». И вот она дала мне что-то завернутое в скрученные газеты. В большом пакете было оружие, оставшееся от Аси, чу́дное оружие: револьвер, шашка, кортик. От него надо было избавиться, потому что все время шли обыски и первое, что спрашивали, когда приходили: «Где у вас оружие?»... «Ты прижми его, — сказала бабушка и дала мне пакет. — Мы пойдем тихонько, и когда будешь проходить помойку, брось в нее». Так я и сделала, выбросила пакет на помойку.

У бабушки были уникальные вещи, серебряные, фамильные. Некоторые — золотые. Фамильные украшения, ожерелья, браслеты. Столовое серебро и столовое стекло, изготовленное в Италии бог знает в каком веке. Тончайшее. Дунешь — разлетится. Тронешь его — поет. Оно переходило из поколения в поколение. Все это хранилось в длинных больших коробках, выложенных внутри бархатом. Бабушка занавешивала окна, чтобы снаружи ничего не было видно, и тогда только открывала эти коробки. И начиналось такое сверканье!.. (Я думаю, что грешу, вываливая все это.)

Если у нас оставалось еще что-то красивое или дорогое, она выходила из дому и шла туда, где размещались иностранные представительства, посольства. Америки, Швеции, Норвегии... Бабушка говорила на трех языках, кроме русского: французском, английском, немецком. Она была ростом еще меньше, чем я. Притуливалась где-нибудь у дверей, потому что войти было нельзя, и стояла так молча. Там спрашивали и отвечали только глазами: «Что, у вас есть что-то?..», «Что это? Сколько? Ну, это целиком?.. за все?..», «Где это сделано?..» И бабушка продавала фамильные драгоценности, по частям. Замечательные вещи были. И на вырученные деньги приносила домой кушать, еду, потому что нам не на что было жить.

Муж мамы, Николай, — я его звала папа — меня не любил, и я его не любила. Потому что меня не любила Ольга, и я ее тоже не любила. Я полюбила ее уже много лет спустя, но об этом позже.

Папа был без ума от нее и не мог терпеть меня. Он придирался ко мне на каждом шагу. А мама меня очень нежно любила — иногда мне казалось, что меня она любит даже больше, чем Ольгу. А потом она перестала любить Ольгу совсем — теперь даже не могу объяснить почему.

Я помню, мы все жили в одной комнате: папа, мама, Ольга и я. Мне было лет пятнадцать. Я была полна жизни, во мне все ликовало. И я каждое утро вставала и, насвистывая, танцевала по комнате. У меня было столько энергии, что я могла встать и сразу петь, как птичка.

И папа всякий раз говорил:

— О боже, прекрати этот ужасный шум!

И Ольга тоже злилась на меня.

Уже папу арестовали, во второй раз.

У бабушки было больше смекалки, чем у мамы. Мама была совсем непрактична. Рядом с нами жила семья, в которой отца арестовали большевики. Ни за что. Не то фамилия была не та, не то род... И мама сказала: «Вам нечего есть — вот вам деньги. Когда вы сможете, вы нам отдадите». И отдала им все деньги, которые у нас были, а мы остались полуголые. И конечно, нам ничего не вернули.

Я уже не помню, кончила Ольга школу или тоже не кончила. Был голод, и больше ничего.

Потом, после школы, я где-то служила. Но где — совершенно не помню.

Это было на Пасху, всегда самый большой для нас праздник. Мама понесла передачу папе в тюрьму: пасху, кулич — всего понемногу. И вернулась в слезах.

Я бросилась к ней:

— Мама, как папа? Почему ты плачешь?

— Он меня не узнал!.. Он мне отдавал кольцо...

И она рассказала, что, когда она передала в окошечко свою передачу, он очень ее поблагодарил, так мило, снял кольцо с пальца и сказал: «Пожалуйста, возьмите это обручальное кольцо и отдайте его моей жене — я сам уже, наверное, ее не увижу...» Мама закричала: «Коля! что ты! я твоя жена!! что ты выдумываешь?!» Но он ее не узнал. Она мне рассказывала и рыдала.

Из тюрьмы он, однако, вышел. Но был совершенно разрушен. Ничего не мог делать. Сидел дома, и все.

А когда — уже перед войной — его забрали опять и отправили в ссылку, он умер прямо на вокзале. Их грузили в товарные вагоны, как скот, — и он упал и тут же умер.

Ольга чуть не сошла с ума. Она его боготворила. Она всю ночь ревела как безумная.

Как звали первого мужа Ольги, я уже не помню. Они разошлись, Ольга его оставила. Он был очень милый, нежно ко мне относился. Кажется, он что-то делал в кино. А она мечтала быть актрисой. Но данных у нее для этого, увы, не было.

А я была очень спонтанная, энергия у меня так и била через край.

Как-то, когда они уже разошлись, он пригласил меня к себе в гости, выпить чашечку чая или кофе.

Нет-нет, никаких поползновений с его стороны, просто дружеский разговор.

Между прочим он спросил меня, умею ли я нюхать кокаин.

Я говорю:

— А что это такое?

— О, — говорит, — это замечательная штука. Это такой порошок. Сто́ит он страшно дорого. Но когда вы его понюхаете, у вас возникают сказочные виде́ния, появляются необычайные мечты, вы начинаете галлюцинировать...

Я умирала от любопытства, мне очень хотелось попробовать.

Он сказал:

— Зайдите, — допустим, — во вторник... Я постараюсь достать немножко.

Я говорю:

— Да — да, нет — нет, как получится, — и убежала.

И во вторник — допустим, это был вторник — я снова пришла к нему.

Он показал мне, как надо вдыхать его, втягивать в ноздрю. И все смотрел на меня:

— Ну как? Ничего не чувствуете?

— Ничего. — Я только чуточку повеселела.

— Ну хорошо. Нет, больше нельзя. В другой раз еще попробуем...

— А что, — говорю, — будет, если я дойду до какого-то состояния?

— О, — говорит, — это очень интересно!

Так еще два или три раза я приходила к нему, и ничего особенного со мной не случалось.

Он говорил:

— Да, сегодня лучше. У вас глаза очень хорошо блестят. Чу́дные глаза!.. Теперь встаньте и немного пройдитесь по комнате... Качает вас или нет?

Я все моментально исполняла, что он говорил. И потом бежала домой.

Он говорил мне:

— Приходите на следующей неделе — сделаем еще одну пробу.

Я пришла. Он очень пристально на меня смотрел и сказал:

— Сегодня гораздо лучше! На вас уже действует.

Я говорю:

— Откуда вы знаете, что на меня действует?

— А я вижу по глазам.

— А что вы видите по глазам?

— Они страшно меняются, делаются красивые. У вас и без того они очень красивые, а сейчас они просто ослепительные. Вот теперь и начинается действие кокаина... Что вы еще чувствуете?

Я говорю:

— Радость.

Он еще посмотрел немножко, как я хожу. Нет, ничего, все в порядке.

Ладно, мне надо было уже идти домой.

Когда я спустилась на улицу, тут все и началось. Я шла, расшвыривая всех направо и налево.

— Кш! кш!..

Все оборачивались. Голова у меня была легкая, как совсем пустая. Я чувствовала себя на небесах. Только дай бог открыть свою дверь и войти.

И вот этот день я помню, как будто он был вчера.

Был мамин день рождения, у нее собрались гости, знакомые дамы. Может быть, сослуживицы из Библиотеки Академии наук, где она работала библиотекарем и откуда всегда приносила нам французские книжки.

Я влетела как безумная. А я все привыкла маме рассказывать. И с порога кричу:

— Когда эти тётьки-Мотьки уйдут, я тебе что-то скажу и покажу.

А маме и в голову не приходило, что со мной что-то такое может быть. Она только сказала:

— Пойди, пойди сюда на минуточку — что-то с тобой странное... Покажи, что у тебя?

Я говорю:

— Не могу. Не могу!

Она говорит:

— Какой-то у тебя странный вид... Да не ори! Соседи рядом.

А тётьки-Мотьки на меня смотрят и — маме:

— Ну что же, Елизавета Алексеевна, налейте нам еще чашечку чая...

Когда все гости ушли, мама пришла ко мне, стала спрашивать и начала догадываться, в чем дело:

— А, тебе предложили какой-то порошок... Ты не должна этого делать, потому что это очень вредно...

Я пошла спать и спала очень долго. А когда встала, все казалось скучным, серым, однообразным.

Еще был раз, когда все пошли на какую-то экскурсию, а я осталась дома. Папы уже не было, он в тюрьме сидел. Меня закрыли и ушли.

И тут началось... На меня напал дикий страх. Сначала мне все вокруг казалось синего цвета, потом превращалось в желтый... Я ходила из угла в угол, как зверь. Хотела открыть дверь — дверь не открывалась. Я начала сходить с ума. Села, поджав ноги, обхватив руками колени, и раскачивалась, тряся головой, раскачивалась... Я дошла до того, что все стало каким-то серым, потом черным... Мне было так плохо, что я поклялась никогда — никогда! — больше не прикасаться к кокаину.

Все это происходило задолго до моего знакомства с Даней. И я ему наверняка об этом рассказывала. Я от него ничего не скрывала.

Однажды вечером, хорошо помню этот день, я убирала свой стол, наводила в нем порядок. Я очень люблю, и до сих пор, красивую белую бумагу. Я перебирала ее, складывала.

В это время в дверь постучали. Я пошла открывать.

У порога стоял высокий, странно одетый молодой человек, в кепочке с козырьком. Он был в клетчатом пиджаке, брюках гольф и гетрах. С тяжелой палкой, и на пальце большое кольцо.

— Разрешите пройти?

— Да, да, пожалуйста.

Он спросил Ольгу. А ее не было дома.

— Можно я подожду немножко Ольгу Николаевну?

Я говорю:

— Конечно. Садитесь.

Он:

— Благодарю вас.

Я продолжала перебирать бумажки, и одна была красивее другой. Вдруг он меня спросил:

— Вы, наверное, любите музыку?

Я сказала:

— Очень.

— А что вы любите? каких композиторов?

Ну я сразу, конечно, как молоденькая, ему:

— Чайковский. Выше всех.

— Ах, — говорит, — вам нравится Чайковский? Чудный композитор... А кто еще?

Я назвала еще кого-то, когда он спросил:

— А вы любите Баха?

Нет, Баха я, к стыду своему, еще не знала.

У меня был абонемент на год в Филармонию, самый дешевый, в последний ряд. Место на самом верху, на хорах.

Иногда я прямо с работы, не переодевшись, бежала к семи часам в Филармонию, с сумкой, в которой были покупки.

Так что он спросил меня о том, что меня интересовало.

А Ольга все не приходила и не приходила. Было уже поздно. Он подождал ее еще немного и ушел.

Мне он очень понравился. Славный очень, лицо такое открытое. У него были необыкновенные глаза: голубые-голубые. И какой вежливый, воспитанный! Он любит музыку и знает ее лучше меня.

И я ему очень понравилась — он мне потом говорил.

Я слышала о нем раньше от Ольги, знала, что он писатель, но, конечно, не подозревала, что он мой будущий муж.

Вскоре он пригласил меня и Ольгу поехать на Острова. И мы поехали. Взяли с собой бутерброды. Может быть, молоко, что-то еще — не помню.

Я очень любила ездить на Острова. Вы покупаете билет и едете на ту сторону. Утром вас привозит туда пароходик, вы проводите там весь день, а вечером возвращаетесь в город.

Я была в восторге, мой темперамент так и бил ключом. Я была очень веселая. А Ольга всегда сдержанна, подтянута.

Я сидела и смотрела на воду. И услышала очень тихий голос, который был обращен к Ольге:

— Ольга Николаевна, ну посмотрите, какие у нее глаза! Такие красивые.

Ольга нехотя сказала:

— Да, у нее красивые глаза.

С этой поездки он часто приходил к нам. И чем дальше, тем все чаще и чаще. И мы куда-то вместе шли, куда-то ехали. В городе. И за город.

Как-то он мне сказал:

— Здесь одна вещь, которую стараются сделать. Это клавесинная музыка... Если у них получится, мы пойдем на концерт...

И мы шли на концерт клавесинной музыки. И куда-то еще, еще.

И случалось, что уже Ольги с нами не было.

Однажды я засиделась у него в комнате.

И он неожиданно сделал мне предложение.

Я помню, что осталась у него ночевать.

И когда мама стала мне выговаривать, что я даже домой не пришла, я сказала ей, что мне сделали предложение и я выхожу замуж за Даниила Ивановича.

Все это произошло как-то очень быстро.

С тех пор я Ольгу почти не видела.

По правде говоря, мама ожидала, что за Даню выйдет замуж Ольга. И когда он сделал мне предложение, она была немного смущена. Не то чтобы недовольна — нет, — просто для нее это было полной неожиданностью.

Свадьбы никакой не было. Не на что ее было устраивать. Пошли и расписались — вот тебе и вся свадьба.

Первым делом, как мы поженились, Даня повез меня в Царское Село, к своей тете, чтобы показать меня. Он очень считался с ее мнением. Прямо-таки дрожал перед ней. Да, он, конечно, ее уважал, но и побаивался. И любил, по-моему, больше, чем отца. И она тоже в нем души не чаяла.

Все было очень красиво, как она нас приняла.

Она смотрела на меня в упор, прямо в глаза, изучающе, — ктó я и чтó я.

А Даня все время переводил взгляд с нее на меня, с меня — на нее, — как я ей, нравлюсь?

Первую жену Дани, Эстер, она не любила[1]. Но она все-таки хотела, чтобы он женился, потому что

[1] Эстер Александровна Русакова (1906–1938, по другим данным: 1909–1943). Из семьи иммигрантов, приехавших в СССР из Франции. В 1937 г. арестована и погибла в лагере.
Все примечания, кроме оговоренного на с. 90, сделаны мной. — *В. Г.*

его всегда окружали какие-то непонятные для нее люди, непонятные для ее возраста. И она надеялась, что с женитьбой они от него отстанут.

Уж не знаю, что она сказала ему обо мне, но я чувствовала, что она, скорее, одобрила его выбор.

Даня жил в коммунальной квартире на Надеждинской улице. На третьем этаже.

Его комната представляла собой половину некогда большой комнаты, разделенной перегородкой. В нашей половине было метров пятнадцать, не более.

Это была не стена, сквозь нее все, что происходило на той половине, было слышно. А там жили старуха-мать и ее дочь.

— Мама, мама! — укоризненным голосом выговаривала дочь. — Ну что вы опять напикали в кровать!

Даня делал мне знаки, прикладывал палец к губам: тс-с!

Через некоторое время снова:

— Опять! Я же вам сказала, мамаша, чтобы вы кричали, когда вам надо пикать.

Мы помирали от смеха, сгибаясь пополам. А Даня мне шепотом:

— Молчи! Молчи!

Старуха всегда делала в кровать, потому что она не вставала. А дочка приходила домой, и повторялась та же сцена.

— Мамаша, я вам сказала, мамаша. Вы меня все-таки не хотите слушать!

— Э-э, — хныча отвечала ей старуха, — я хочю слюшать!

— Нет, вы не хотите делать так, как я вам говорю, мамаша! Я уж больше не могу...

Даня, сам давясь от смеха, мне одними губами:

— Молчи, чёрт!

Этот разговор за стенкой мы слышали каждый день.

Дальше, в следующей комнате, — а все комнаты были в одном ряду — жил отец Дани, Иван Павлович. Эта комната была средней в квартире: между нашей комнатой и комнатой старухи с дочкой и комнатами Даниной сестры Лизы.

Когда-то вся квартира принадлежала Ювачёвым. Но в те годы, когда я вышла замуж, она уже была коммунальной.

Иногда Иван Павлович в коридоре предупреждал меня или Даню, что сейчас к нам зайдет.

Это был очень высокий, скелетообразный старик с бородой и всегда бледным лицом.

Заходил он к нам очень редко, на несколько слов.

Даня моментально вскакивал и при нем никогда не сидел. Стоял навытяжку, как солдат.

— Пожалуйста, — говорил отец Дане, — ты можешь сидеть. Садись.

Но Даня не садился. Я тоже стояла.

И я не помню, чтобы и отец сидел у нас в комнате.

Приходил он, чтобы что-то спросить Даню или ему что-то не понравилось, и он зашел, чтобы сказать об этом Дане.

Говорил Иван Павлович негромко, вполголоса.

А курить не разрешал, и Даня в его присутствии не курил.

Со мной он был мил и, по-моему, хорошо ко мне относился, но я его боялась и не стремилась сблизиться.

Он был чрезвычайно аскетичен. Буквально ничего не ел.

У него была мисочка. И ложка. Эта ложка потом досталась мне, но куда-то пропала. Он наливал в эту мисочку горячей воды и в нее вливал ложку подсолнечного масла. И крошил в воду черный хлеб. Это была вся его еда. Никаких каш, супов — ничего, кроме этой тюри.

Был совершенный аскет. И его все побаивались. Даже считали, что он повредился в уме.

В его комнате была очень скромная обстановка: ничего, кроме стола, стула и кровати. Даже книжный шкаф не помню — наверное, был.

И он все время писал. Я, к сожалению, ничего из написанного им не читала. Но мне говорили, что это замечательные вещи.

После его смерти — а может быть, я ошибаюсь, это случилось раньше — нет, все-таки, наверное, после его смерти, — все его рукописи забрали и свезли в Казанский собор. Весь его архив.

Известно, что Иван Павлович Ювачев был близок к Толстому. И не раз бывал в Ясной Поляне.

Он был народовольцем, за участие в покушении на царя его приговорили к смертной казни, которую потом заменили пожизненной ссылкой.

Но в конце концов его отпустили. И после ссылки он женился.

Даня рассказывал мне такую историю.

Отец его был приглашен в поместье к Толстым. Мать Дани, которую я уже не застала, потому что она умерла еще до того, как мы познакомились с Даней, была на сносях, ждала ребенка.

Иван Павлович позвонил ей по телефону из Ясной Поляны и кричал довольно громко, потому что такие были телефоны и только так его было слышно. Он сказал: «Будь осторожнее, роды уже близко. Ты разрешишься 30 декабря. И родится мальчик. Назовем его Даниилом». Жена что-то возражала. Но он ее оборвал: «Никаких разговоров! Он будет Даниил. Я сказал».

Дальше, за отцом, были, если не ошибаюсь, две комнаты, в которых жила сестра Дани со своей семьей.

Лиза была замужем за ярым коммунистом, и поэтому мы к ним не ходили и с ними не разговаривали.

Сам Даня с сестрой говорил, но совершенно холодно и только по-немецки.

Мне было строго-настрого запрещено к ним ходить. Даня с самого начала мне сказал: «Нечего тебе туда шляться, я тебе говорю! Нечего тебе там делать». Так что Лиза была для меня недоступна, я не могла с ней разговаривать, и никаких теплых отношений с Лизой, с ее семьей у Дани не было. Из-за ее мужа-коммуниста.

Итак, наша с Даней комната занимала половину некогда большой комнаты.

На окнах — занавески, сделанные из простыни. Кажется, наши окна выходили на улицу. Потому что, когда в дом напротив приходили и делали обыск, мы все видели через дорогу.

В комнате стоял диван — диван не диван, неширокая тахта, — продавленный, с большой дыркой посередине. Видимо, им пользовались вовсю. Когда я первый раз легла на него, я провалилась в эту дырку, собачка под диваном завизжала, — должно быть, ее задели пружины проклятые. Но когда люди молоды — господи боже мой! — все это пустяки.

На стенах было много надписей. Довольно больших. Как плакаты. Вроде такой: «Мы не пироги. Пироги не мы!» Все эти надписи делал Даня.

Заметной вещью была стоявшая слева у стены фисгармония. Даня садился за нее не очень часто, хотя страшно любил музыку и играл с удовольствием. Играл он немного вещей, больше по памяти. Зато

Яша Друскин, когда приходил к нам, всегда играл на ней[1].

Сохранилась одна фотография, на которой я сижу за этой фисгармонией вполоборота к объективу и мои руки лежат на клавишах. Не помню, кто меня снял. Но это так, изображение, — меня попросили та́к сесть, я и села, я никогда не умела играть на фисгармонии, к сожаленью.

Был стол, на котором мы ели, когда было что есть.

И печка, половина которой была у нас, а другая половина — у старухи с дочерью.

Однажды ночью Даня разбудил меня из-за этой печки.

— Слушай, я хочу спать, — сказала я.

— Нет, подожди, я что-то тебе скажу.

— Ну что, говори скорее.

— Давай покрасим печку.

— Зачем?! На чёрта надо ее красить?

— А просто интересно!

— Ну чем, чем интересно?! Черт с ней, с этой печкой.

— Нет, у нас тут есть розовая краска. И мы покрасим печку в розовый цвет...

Словом, он разбудил меня. И мы этой несчастной розовой краской красили печку всю ночь. И потом покрасили в розовый цвет все, что могли. Другой

[1] *Друскин* Яков Семенович (1902–1980) — музыкант, философ и теолог. Сберег архив Д. Хармса, в котором были рукописи самого Хармса, А. Введенского и Н. Олейникова.

краски у нас не было. И, крася, очень смеялись, держались за животы. Нам обоим было почему-то очень весело.

На стене в комнате висел наискосок большой плакат. Он бросался в глаза.

«АУМ МАНИ ПАДМЭ ХУМ».

Какое-то тибетское изречение.

Я спросила Даню:

— Что это значит?

Даня сказал:

— Я не знаю, что это такое, но я знаю, что это святое и очень сильное заклинание[1].

Чтобы в доме было очень много книг — это я не помню. Комната была все же небольшая. Но у Дани были книги по оккультизму, по йоге, по буддизму, это его интересовало. И благодаря ему у меня тоже развился интерес к оккультным наукам, правда тогда еще неглубокий.

Когда мы с Даней поженились, он сказал мне:

— Мне все равно, но я тебе советую: для тебя будет лучше, если ты оставишь свою девичью фами-

[1] «Мани падмэ» *(санскрит)* — «драгоценность в цветке лотоса».

лию. Сейчас такая жизнь, что, если у нас будет общая фамилия, мы потом никому не сумеем доказать, что ты это не я. Мало ли что может случиться! А так у тебя всегда будет оправдание: «Я знала и не хотела брать его фамилию...» Поэтому для твоей безопасности, для тебя будет спокойнее, если ты останешься Малич...

Он настоял, чтобы у меня осталась моя девичья фамилия, а мне было немножко обидно — мне казалось, что он не хочет, чтобы я носила его фамилию.

В конце концов мне тоже было все равно, и я согласилась. Так я осталась с моей девичьей фамилией Малич.

Уже, наверное, не в первый и не во второй год моего замужества Даня как-то сказал мне:

— Я сейчас бегу, мне некогда, я собрал немного денег, чтобы купить нам билеты, — послезавтра большой концерт, в котором будут исполняться «Страсти по Матфею» Баха.

Потом он мне сказал, что их исполнение не хотели разрешать ни в театре, ни в филармонии и его с трудом добились.

— Это совершенно потрясающая вещь. Смерть Христа. И она у нас запрещена. Так что ее не исполняют. Но разрешили всего один раз на Пасху.

Он еще говорил, что в этой музыке Баха большие детские хоры.

— Но единственное, что запретили, это чтобы участвовали дети.

Я до этого никогда не слышала Баха и, конечно, не так хорошо понимала музыку, как Даня. А он все повторял:

— Ты увидишь — это потрясающе!

Я думаю, что это было на второй или третий день Пасхи.

Когда мы вошли в зал, он уже был переполнен. Сесть было нельзя, негде, и мы стояли.

Люди от духоты и переживаний теряли сознание, и их выносили из зала.

Мы стояли, прижатые другими, у самой стены, далеко от сцены.

Ажиотаж был небывалый, потому что все знали, что исполняется единственный раз и никогда не повторится.

Даня подготовил меня, все мне объяснил, и я слушала очень внимательно. А он все смотрел на меня: какое производит на меня впечатление?

Это было что-то невероятное. Мурашки бегали по телу. Люди сидели со сцепленными пальцами, сжавшись, плакали. И я тоже утирала слезы. Ничего подобного ни до, ни после этого я не испытывала.

Мы стояли часа три, пока длился концерт. И когда шли домой, я плакала, а Даня все смотрел на меня и спрашивал:

— Тебе понравилось? Правда?

Я честно говорила, что ничего лучше в жизни не слышала. И он сказал:

— Я рад, что ты поняла глубину этой вещи. Теперь можешь отдохнуть на более легких вещах.

И потом добавил:

— Я, по правде сказать, немножко побаивался, что ты не все поймешь. Это вещь замечательная, уникальная.

Он был очень верующим, гораздо больше, чем я себе представляла.

Но так мы с ним в концерты больше не ходили. Денег на билеты не было. Никогда.

В Царском Селе, как я уже говорила, жила тетка Дани, Наталия Ивановна Колюбакина. Даня ее очень любил и, повторяю, слегка побаивался.

Она несколько раз приезжала к нам. И Даня к ней ездил — не то чтобы часто, — изредка. Иногда мы ездили к ней вместе.

Она была очень строгой. Железного характера. Железного! Не было человека, который бы не преклонялся перед ней, — настолько это была сильная натура. А мне нравилось шутить с людьми — так сказать, ваньку валять.

Я тогда училась кулинарничать и однажды сварила очень хороший, вкусный суп, на свинине и не помню еще с чем. Ну очень хороший.

И как раз к нам приехала Наталия Ивановна. Я сварила целую кастрюлю этого супа, такую большую-большую.

Начали есть, и она тоже ела с удовольствием. Я налила себе тарелку, потом — другую... Вдруг она говорит мне:

— Как вы можете столько съесть?! — но очень мило, по-доброму.

Я говорю:

— Я ем, потому что у меня, кажется, этот суп хорошо вышел.

Но когда я налила себе третью тарелку, она посмотрела на меня с нескрываемым удивлением. Но уже ничего не сказала.

Она жила в Царском со своей сестрой Марией. Мария Ивановна была маленькая такая, не то чтобы забитая, а незаметная.

Даня, повторяю, очень любил Наталию Ивановну и уважал безмерно. Но у нее над столом висел огромный портрет Льва Толстого. Вот его Даня терпеть не мог, не знаю даже почему.

Наталия Ивановна Колюбакина преподавала в Петербурге в главных институтах еще в хорошее время. Она почитала Толстого и каким-то образом была связана с ним.

Даня ей показывал, читал то, что пишет. Некоторые его сочинения она одобряла и говорила ему об этом, а некоторые — ей не могли нравиться, и она ему прямо это высказывала. К ее слову он очень прислушивался.

У меня была собачка. Очень маленькая. Я ее могла брать на руки, носила под мышкой, она почти ничего не весила. Жалкая такая. И прозвище у нее было странное, смешное. Звали ее Тряпочка. Я ее всюду таскала с собой, чтобы она не оставалась дома и не скучала. Иду в гости и беру с собой мою Тряпочку.

Однажды мы с Даней были приглашены на показ мод. Не вспомню, где это было. Там были очень красивые женщины, которые демонстрировали платья.

И все эти женщины повисли на Дане: «Ах, Даниил Иванович!..», «Ах, Даня!..»

Одна, помню, сидела у него на коленях, другая — обнимала за шею — можно сказать, повисла на шее.

А Марина? А Марина сидела в углу с Тряпочкой и тихонько плакала, потому что на меня никто не обращал никакого внимания.

Мне было дико все это наблюдать. Этих женщин и то, как они прыгали к нему на колени. Все же я была совсем другого происхождения. Я была стыдливая скорей и плохо себя чувствовала в этой обстановке. И меня то, что я видела, эти отношения, как-то отталкивало.

Наверное, я была в этой компании совсем чужая, они тоже заметили мой взгляд и больше меня туда не приглашали. Просили, чтобы Даня приходил без меня.

Все радовались всегда, когда он куда-нибудь приходил. Его обожали. Потому что он всех доводил до хохота. Стоило ему где-нибудь появиться, в какой-нибудь компании, как вспыхивал смех и не прекращался до конца, что он там был.

Вечером обрывали телефон. Ему кричали с улицы: «Хармс!», «Пока!», «Пока, Хармс!» И он убегал. Чаще всего без меня.

Мне-то и надеть было нечего, — ни платья, ни туфель — ничего. А там, куда он шел, все были все-таки молодые, красивые, хорошо одевались.

А он уходил, один. Он еще был прилично одет.

Впрочем, это не мешало нашей любви, и сначала все было хорошо и мы были счастливы.

Он всегда одевался странно: пиджак, сшитый специально для него каким-то портным, у шеи неизменно чистый воротничок, гольфы, гетры. Никто такую одежду не носил, а он всегда ходил в этом виде. Непременно с большой длинной трубкой во рту. Он и на ходу курил. В руке — палка. На пальце большое кольцо с камнем, сибирский камень, по-моему желтый.

Высокий, хотя немного сутулился. У него был тик. Он как-то очень быстро подносил обе руки — вернее, два указательных пальца, сложенных домиком, к носу, издавая такой звук, будто откашливался, и при этом слегка наклонялся и притоптывал правой ногой, быстро-быстро.

Видимо, для детей в этом его облике было что-то очень интересное, и они за ним бегали. Им страшно нравилось, как он одет, как ходит, как вдруг останавливается. Но они бывали и жестоки — кидали в него камнями.

Он не обращал на их выходки никакого внимания, был совершенно невозмутим. Шел себе и шел. И на взгляды взрослых тоже не реагировал никак.

Даня был странный. Трудно, наверное, было быть странным больше. Я думаю, он слишком глубоко вошел в ту роль, которую себе создал. Надо, конечно, помнить, что то время, когда мы жили с Даней, не имеет ничего общего с нашим временем, — мы сейчас многое можем допустить. И его странность была особенно заметна на том фоне.

Одежду он себе заказывал у портного. Никто же не носил такие короткие штаны.

Но ко всем его странностям я совершенно привыкла, и они уже не задевали меня. Я его любила, и меня скорее забавляли все эти штуки, которые он выкидывал.

Выражение лица у него было совершенно точно такое, как на портрете, который нарисовала художница Алиса Порет[1]. Этот портрет воспроизведен в «Панораме искусств», которая у меня есть.

[1] Портрет работы Алисы Порет (1902–1984) на вклейке в «Панораме искусств 3», после с. 336 (М.: Сов. художник, 1980).

В этом сборнике я читала ее воспоминания[1]. Я считаю, что она очень хорошо о нем написала. Там много таких эпизодов, над которыми можно посмеяться. И она очень красиво их подала, те же самые вещи, о которых я говорю, но в каком-то ином преломлении.

У нее, наверное, тоже был с ним роман.

Кстати, в том же сборнике, где воспоминания этой художницы, помещены две маленькие фотографии, на одной — она с Даней, и он там делает страшную рожу...

Я помню — я еще не была за ним замужем — произошел такой случай, — я потом много об этом думала... Я пошла в парикмахерскую делать маникюр. И условилась с Даней, что буду там в таком-то часу и чтобы он за мной заехал.

Вот я сижу у маникюрши, она мне чистит ногти, — как вдруг она поднимает глаза и вскрикивает:

— Ой, какой ужас! Я боюсь!..

Я говорю:

— А что такое?

Она говорит:

— Это не ваш муж?

Я повернулась, увидела Даню и говорю:

— Да.

Она говорит:

— Какой ужасный у него взгляд! Просто страшный.

1 Там же, на с. 348–359, «Воспоминания о Данииле Хармсе».

Я улыбнулась. А она, видно, испугалась не на шутку и говорит:

— Боже мой, как вы не боитесь этого человека?

Я говорю:

— Нет.

Что я могла тогда возразить? А у него действительно бывал иногда такой взгляд: очень голубые глаза белка́ми повернуты под самые веки.

Но в тот момент от ее испуга мне было только смешно.

Его дневник я прочла только теперь. Хотя он его не прятал, я не могла бы его читать, потому что у меня есть чувство, что я влезаю в жизнь другого человека, а это известная подлость.

Когда я сейчас читаю этот дневник — скажем, то место в нем, где он пишет о несостоявшейся женитьбе на Алисе Порет: «Если бы Алиса Ивановна любила меня и Бог хотел бы этого, я был бы так рад! Я прошу Тебя, Боже, устрой все так, как находишь нужным и хорошим. Да будет воля Божья!» — я вижу, что многое в этом дневнике выражено совсем по-детски. Да, в Дане было это детское, поэтому он и был такой.

Первый его арест был *до* меня. А второй арест я уже не помню. Может быть, он был уж очень короткий. Наверное, поэтому я его не запомнила.

Хотя Даня мне никогда особенно не рассказывал про свой первый брак, я знала его первую жену. Она была француженка, еврейка-француженка. Очень хорошенькая. Звали ее Эстер.

Даня говорил мне:

— Эстер — такой тип жены-куклы...

Но мне она показалась очень симпатичной, мы с ней ходили, гуляли.

И был случай, когда на талоны давали туфли. Мы пошли с Даней покупать их.

Даня был очень добрый. И он сказал:

— Послушай, я знаю, что ты бы хотела иметь такие туфли. Но, может быть, отдать их Эстер? Все-таки мы с тобой вдвоем, а она осталась одна...

Я говорю:

— Хорошо. Отдай Эстер.

Туфли были элегантные, коричневые. Эстер была в восторге. И очень меня любила. В том числе за то, что отделалась от Дани.

Один раз Даня взял меня с собой в гости. У кого мы были — сейчас не помню. Но все хотели, чтобы я тоже пошла. Помню, что все сидели на полу. И на полу, на расстеленных газетах лежало все, кто что принес. Селедка, черный хлеб и, конечно, водка, которую разливали всем.

Были братья Друскины, Яша и Миша[1], они оба закончили консерваторию. Михаил был, кажется, млад-

[1] *Друскин* Михаил Семенович (1905–1991) — музыковед, педагог, пианист.

ше Якова. Миша был очень холеный. Но мне больше нравился старший из них. Он играл на рояле как бог, и у него была огромная сила воли. Сначала окончил консерваторию старший. Но он знал, что ему надо дать дорогу младшему, и пожертвовал собой, не стал пианистом. Меня это восхитило.

Но — о боги, о господи! — как он играл! Я не могу забыть.

Как-то я сказала Дане: «Яшка, по-моему, играет на фортепьяно лучше Миши». Даня со мной согласился. «Да, — говорит, — намного лучше...»

Значит, большая комната, в ней рояль и много народу. Шура Введенский[1] был, Липавский...[2]

И братья Друскины играли. Но сейчас все поздравляли не старшего, а младшего Друскина. И Яша спокойно, ласково улыбался, радовался за брата.

Я всегда очень любила и уважала Яшу. Он был такой милый. И я думаю, он меня жалел. Он видел, что я старалась, чтобы никто не обращал на меня внимания, держалась на заднем плане.

Но когда он садился за рояль и начинал играть — господи помилуй! — я была у его ног. Это я помню очень хорошо.

[1] *Введенский* Александр Иванович (1904–1941) — поэт, драматург, детский писатель. Репрессирован 27 сентября 1941 г. в Харькове и погиб по дороге в Казань.

[2] *Липавский* Леонид Савельевич (псевдоним Л. Савельев, 1904–1941) — поэт и детский писатель, автор философских и лингвистических работ. Погиб на фронте под Ленинградом.

А потом, после исполнения, шел разговор о музыке. Почему в ней это так, а другое — так. Мнения, мнения. Очень интересный разговор. До утра.

Однажды ночью — я уже спала — Даня разбудил меня и сказал, что мы будем охотиться на крыс.

Крыс в доме никаких не было, но он придумал, что мы будем за ними бегать.

Для этого мы должны были одеться по-особенному. Я уже не помню, что я надела и что надел Даня. Но это была явно не парадная одежда и даже не такая, в какой мы ходим обычно, — что-то такое самое заношенное, оборванное. В этом виде мы должны были гоняться за крысами, которых у нас не было.

Мы уже приготовились к погоне и всюду искали крыс, но тут, на самой середине игры, к нам кто-то пришел. В дверь страшно барабанили, и нам пришлось открыть.

Мы предстали перед гостями в этом странном виде, очень их удивившем. Куда это они на ночь глядя собрались?! Даня не стал рассказывать, чем мы только что занимались, и сказал, что мы куда-то ходили по хозяйственным делам и потому оделись как можно проще.

Ложились мы поздно ночью и вставали тоже поздно. Даня мог спать до двенадцати. А иногда вставали в два или даже в три часа дня.

Когда нечего было есть и некуда было идти, та
он и спал, как и я.

Шура Введенский... Я его очень любила. О
был симпатичен мне. И всегда присутствова
в нашей жизни. «Шурка сказал...», или «Шурка при
ехал...», или «Шурка зайдет...».

Даня и Шура всегда были вместе, тесно связан
друг с другом.

Я думаю, что Шурка был для Дани самый близки
человек. Причем Даня, по-моему, верховодил в их от
ношениях, был как-то над ним. Они постоянно сове
товались, сделать так или этак, так ли поступить и про
чее.

Я помню, что Шурка был влюблен в Татьяну Гле
бову, даровитую художницу. Она была очень хоро
шенькая.

Не могу сказать, что Шурка всегда подчинялся Да
не. Иногда да, иногда — нет. Иногда они ссорилис
какое-то время не виделись, но потом все равно мири
лись.

Самая большая ссора у них произошла из-за жен
щины. Однажды к нам прибежала жена Шурки. Он
повздорила с ним, жаловалась, что он ей изменяет
плакала и пришла ночевать к нам. Мне ее было очен
жалко.

— Вот меня в уголок куда-нибудь...

Я ей постелила на полу. Больше у нас негде было
Дала лучшее, что у меня было, — одеяло положил

на пол, простыню, дала подушку. Она провела у нас три или четыре дня... А потом я узнала, что она прошла и через руки Дани, путалась с ним.

Я не помню, чтобы он садился за стол и долго что-то писал. Иногда он работал, лежа в кровати, иногда сидя у окна.

Бывало вообще черт знает что. Случалось, что мы ложились спать в восемь часов утра. И спали весь день.

А телефон звонил, звонил... И звонили и приходили без звонка и днем и ночью.

И Даня злился:

— И вообще, оставили бы меня в покое!..

— Хорошо, — говорила я. — А как это сделать, чтобы тебя оставили в покое?

— Да очень просто — не открывай дверь, и все.

— И что тогда будет? Ведь будут орать, если я не открою...

— И пусть орут!

Значит, что было? Приходили и стучали в дверь. И кричали: «Черт бы вас подрал! Открывайте дверь!.. Да мы все равно знаем, что вы не спите!..»

И начинали дверь ломать. А дверь все-таки не наша собственная, а государства проклятого. А они в нее так били, что в дверях дырку сделали, потом пришлось эту дырку заколачивать...

Даня уже и записку писал, и прикреплял ее к двери: дескать, никого нету. А все равно все знали, что мы дома.

Ни черта́ не помогало!

Когда начинали стучать в дверь, Даня мне шепотом: «Тс-с!..» — и знаками показывал, чтобы я молчала. Мол, никого нет.

Ну тогда начиналось что-то невообразимое. Прямо беда была. И ногами и руками колотили. Ужас что такое было! А этим, пришедшим в гости, было все равно: ночь ли, день. Они хотели попасть к нам сейчас, немедленно.

Даня еще грозил мне, чтобы я рта не раскрывала. Но наконец и сам не выдерживал. И со словами: «Черт с ними!» — открывал дверь.

И гости входили, и у них под мышкой были бутылки. Пили, болтали. И я со всеми.

Он пил, но не так, чтобы это могло затмить или испортить то, что он писал. Он берег себя для работы. Пьяным я его, во всяком случае, никогда не видела.

Мы долго не открывали не потому, что не хотели никого видеть. Совсем не поэтому. А потому, что Дане надо было писать и ему все мешали.

Он хотел остаться один и писать.

И я тоже мешала. Я могла что-то спросить и перерезать течение мысли. Поэтому надо было скорей уйти из комнаты.

Если я не работала, то шла к маме или, например, к Шварцам. Наташа и Антон Шварц[1] ко мне очень хорошо относились, и я могла пойти к ним. Они жили неподалеку, на Невском.

Даня читал мне все, что пишет. Конечно, я могла не знать всего, что он писал до меня, до того, как мы поженились. Но с тех пор, как мы стали жить вместе, он мне читал все. И для детей, и не для детей.

Я начинала смеяться, как только он начинал читать. И он мне говорил:

— Да не смейся все время! Я не могу рот открыть, а ты уже хохочешь.

А я буквально покатывалась от смеха, потому что было так смешно, что невозможно было удержаться. Все эти «бу-бу-бу да го-го-го, гу-гу-гу да буль-буль». Это, помню, когда он читал мне стихотворение «Веселый старичок».

Я говорила, что́ мне нравится, что́ я считаю не так хорошо, что́ лучше переделать, — ну какие-то детали.

Иногда я, прослушав, давала ему совет какой-нибудь. И он старался исправить, если соглашался со мной.

У меня был хороший слух, и я сразу схватывала, так сказать, ритм. И улавливала, если был сбой. Он на мне проверял написанное.

[1] Наталия Борисовна Шанько (1901–1991), переводчица, и ее муж Антон Исаакович Шварц (1896–1954), известный артист эстрады, чтец.

Сказать, что я ему помогала, — слишком большое слово. Но если я говорила: «Это мне не нравится», он как-то прислушивался:

— Ну хорошо, подожди, я попробую, — и переделывал.

Но, конечно, это было не всякий раз.

Отец был каким-то образом в курсе того, что писал Даня, хотя я не припомню случая, чтобы Даня ему что-то свое читал. Тем более написанное не для детей, взрослое. Но Иван Павлович прекрасно знал, что́ пишет Даня. Ка́к, откуда — не могу сказать, но знал. И то́, что Даня писал, его раздражало. Он совсем не одобрял его.

Меня он называл Фефюлькой. Наверное, за малый рост.

Он писал стихи о Фефюльке и, несомненно, мне их читал, но у меня сейчас такое впечатление, что я их раньше не слышала и читаю впервые. Должно быть, я их просто забыла за давностью лет.

ХОРОШАЯ ПЕСЕНЬКА ПРО ФЕФЮЛЮ

1

Хоть ростом ты и не высо́ка
Зато изящна как осока.

Припев:

Эх, рямонт, рямонт, рямонт!
Первако́кин и кине́б!

2

Твой лик бровями оторочен.
Но ты для нас казиста очень.

Припев:

Эх, рямонт, рямонт, рямонт!
Первако́кин и кине́б!
Первакбокин и кинбеб!

3

И ваши пальчики-колбашки
Приятней нам, чем у Латашки.

Припев:

Эх, рямонт, рямонт, рямонт!
Первако́кин и кине́б!

4

Мы любим Вас и Ваши ушки.
Мы приноровлены друг к дружке.

Припев:

Эх, рямонт, рямонт, рямонт!
Первако́кин и кине́б!

Другое — как мне кажется, очень красивое — было прямо адресовано мне.

МАРИНЕ

Куда Марина взор лукавый
Ты направляешь в этот миг?

Зачем девической забавой
Меня зовешь уйти от книг,
Оставить стол, перо, бумагу
И в ноги пасть перед тобой,
И пить твою младую влагу
И грудь поддерживать рукой.

Были, как теперь я вижу, еще и другие стихи обо мне. И если я привожу некоторые них, то, конечно, не для хвастовства (вот, он мне стихи посвящал!), а чтобы было понятно, что наши отношения не всегда были такими, как когда все шло к концу.

В рассказах Дани встречаются ошибки в грамматике, в правописании. Я думаю, он это делал специально. И это очень похоже на него, такие неожиданные штучки. Потому что, понятно, когда спотыкнутся на этом месте, люди начинают смеяться.

Одно время у нас вошло в обычай: несколько человек сговаривались и шли в воскресенье в Эрмитаж. Там были долго, но не весь день, подробно смотрели картины, а потом всей компанией шли в маленький бар, недалеко от Эрмитажа, пили пиво, закусывали чем-нибудь легким — может быть, бутербродами, сидели там три-четыре часа и говорили, говорили, говорили. Главным образом о том, что видели в Эрмитаже, но, конечно, не только об этом.

С Казимиром Малевичем я познакомилась, когда он уже умирал. Я виделась с ним, по-моему, всего один раз, мы ходили с Даней.

Но до этого Даня позвал меня на его выставку. Он сказал, что я непременно должна посмотреть его лучшую работу. Она до сих пор стоит у меня перед глазами: черный круг в белом квадрате, но я все же не берусь в точности описать ее. Все только и говорили об этой картине. И мы пошли с Даней на выставку и видели эту знаменитую картину.

А во второй раз я увидела Малевича уже после его смерти. Я была с Даней на похоронах.

Собралось много народу. Гроб был очень странный, сделанный специально по рисунку, который дал Даня и, кажется, Введенский.

На панихиде, в комнате, Даня встал в голове и прочел над гробом свои стихи. Стихи были очень аристократические, тонкие.

НА СМЕРТЬ КАЗИМИРА МАЛЕВИЧА

Памяти разорвав струю,
Ты глядишь кругом, гордостью сокрушив лицо.
Имя тебе Казимир.
Ты глядишь как меркнет солнце спасения твоего.
От красоты якобы растерзаны горы земли твоей.
Нет площади поддержать фигуру твою.
Дай мне глаза твои! Растворю окно на своей башке!
Что, ты человек, гордостью сокрушил лицо?
Только муха жизнь твоя и желание твое — жирная
снедь.
Не блестит солнце спасения твоего.
Гром положит к ногам шлем главы твоей.

Пе — чернильница слов твоих.
Трр — желание твое.
Агалтон — тощая память твоя.
Ей Казимир! Где твой стол?
Якобы нет его и желание твое ТРР.
Ей Казимир! Где подруга твоя?
И той нет, и чернильница памяти твоей ПЕ.
Восемь лет прощелкало в ушах у тебя,
Пятьдесят минут простучало в сердце твоем,
Десять раз протекла река пред тобой,
Прекратилась чернильница желания твоего Трр и Пе.
«Вот штука-то», — говоришь ты и память твоя Агалтон.
Вот стоишь ты и якобы раздвигаешь руками дым.
Меркнет гордостью сокрушенное выражение лица твоего;
Исчезает память твоя и желание твое ТРР.

Он читал эти стихи с какой-то особенной силой, с напором. Стихи произвели на всех громадное впечатление. У всех мурашки бегали по коже. И почти все, кто слушал, плакали.

Данины стихи все покрыли, выразили печаль всех. Я считаю, что это был самый высокий и красивый жест, какой он мог себе позволить. Он же очень ценил Малевича.

Даня иногда брал меня с собой, когда шел в Дом книги. Там, у Маршака, он бывал часто.

Один раз, когда я пошла с ним, я поднялась наверх, где помещалась редакция. И мне дали посмотреть альбом Шагала, но только чтобы никто об этом не знал, потому что он был запрещенный художник. И я влюбилась в него на всю жизнь. Мне позволили посмотреть альбомы и других художников.

Кажется, именно в тот раз, когда меня пустили наверх, кто-то снял Даню на балконе Дома книги, у меня сохранилась эта фотография.

По воскресеньям во Дворце пионеров на Фонтанке устраивались утренники для детей. Даня выступал на этих утренниках. Это ему протежировал Маршак.

Я тоже ходила на них с Даней. Зал был набит битком, полный-полный.

Как только Даня выходил на сцену, начиналось что-то невообразимое. Дети кричали, визжали, хлопали. Топали в восторге ногами. Его обожали.

Он начинал с фокусов. У него в руках оказывалась игрушечная пушка. Откуда он ее доставал?! — не знаю. Я думаю, из рукава. Потом в руках у него появлялись какие-то шарики. Он доставал их из-за ворота, из рукавов, из брюк, из ботинок, из носа...

Дети кричали так, что просто беда была: «Еще! еще!! еще!!!»

А я смотрела и удивлялась: на эстраде стоял совсем другой человек! Даня — и не Даня. Он совершенно менялся.

Потом он читал свои стихи. «Иван Иваныч Самовар», «Врун», «Бегал Петька по дороге, по дороге, по панели...» и другие.

На детских утренниках он имел самый большой успех — из всех, кто выступал.

Даня, повторяю, был очень добрый. И его странности, конечно, никому не приносили ни огорчения, ни вреда. И я должна сказать, что он все-таки делал все, что он хотел, все, что ему нравилось.

Он, например, подходил к окну без ничего, совершенно голый. И стоял так у окна в голом виде. Довольно часто.

Это было и некрасиво, и неэстетично. Его могли увидеть с улицы.

Всю жизнь он не мог терпеть детей. Просто не выносил их. Для него они были — тьфу, дрянь какая-то. Его нелюбовь к детям доходила до ненависти. И эта ненависть получала выход в том, что он делал для детей.

Но вот парадокс: ненавидя их, он имел у них сумасшедший успех. Они прямо-таки умирали от хохота, когда он выступал перед ними.

Почему же он шел на эти выступления? почему на них соглашался?

Он знал, что притягивает к себе детей, вообще людей вокруг, что они будут вести себя так, как он захочет. Он это всегда чувствовал.

И вот такая необъяснимая штука — при всей ненависти к детям, он, как считают многие, прекрасно писал для детей, это действительно парадокс.

Маршак очень любил Даню. И я думаю, Даня также относился с большим уважением к Маршаку.

Однажды мы поехали с Даней куда-то на пароходе по Волге. И с нами ехал Маршак. Это была длинная прогулка, на несколько дней, а может быть, и дольше.

С Маршаком плыли его сыновья, Элик и Яша.

Маршак очень мило со мной общался. И он тогда узнал от меня, что мои родители — мама, папа и бабушка — все трое — в ссылке. Ему я об этом могла рассказать.

Когда Даня и я плавали с Маршаком и детьми по Волге, в это время арестовали бабушку.

Я вернулась и поехала в Москву хлопотать за нее. У меня в Москве жили друзья и тетка. Я у них останавливалась.

Я пошла в Красный Крест, к жене Горького, по уже известному мне адресу.

Очередь к ней была колоссальная. Все такие же люди, как я. Просили, чтобы она помогла. И она помогала очень многим. Я, конечно, помнила, как с ее помощью вытащили из тюрьмы дедушку, князя Голицына.

Я простояла в очереди весь день. Потом выдали билетики с номерами. И на следующий день или через день моя очередь подошла.

Когда она посмотрела бумаги, которые я привезла, она спросила меня:

— Это *вы* просите за княгиню Голицыну?

Я говорю:

— Да.

— Так... — Она что-то проговорила, как сама с собой. — Зачем же еще ее, эту старушку-то, брать?!

Она позвонила в звонок и вызвала свою секретаршу. И сказала ей:

— Принесите мне такую-то папку или такие-то бумаги...

Секретарша вернулась с бумагами, и она мне сказала:

— Я не понимаю, — это что же, та самая княгиня Голицына, которая была у меня пятнадцать лет назад?

Я говорю:

— Да.

— Неужели они взяли старуху?!

Я говорю:

— Да.

Она сказала только:

— Это просто гнусность, что они сделали... Можете идти. Вам сообщат, где сейчас ваша бабушка... Я постараюсь вам помочь.

И я приехала домой с бабушкой.

После возвращения из ссылки бабушка жила у нас, в квартире на Надеждинской. Но кровать ее стояла не в нашей комнате — у нас-то негде было, — а в коридоре. Коридор был довольно просторный. Там и шкафы стояли, что-то много шкафов.

Я думаю, что не совсем не правы те, кто говорит, что у него была маска чудака. Скорей всего, его поведение действительно определялось избранной им маской, но, я бы сказала, очень естественной, к которой уже привыкаешь.

Что составляло для него главный интерес? чем он внутренне жил, помимо писания? Я думаю, очень важную роль в его жизни играла область сексуального. Судя по тому, что я видела, это было так. У него, по-моему, было что-то неладное с сексом. И с этой спал, и с этой... Бесконечные романы. И один, и другой, и третий, и четвертый... — бесконечные!

Но, безусловно, у него было очень много внутри, того, что он хотел написать. Больше всего на свете, я думаю, он был увлечен писанием.

Он был, я бы сказала, вкоренен во все немецкое, в немецкую культуру. Все то, что немецкое, ему очень нравилось.

По-немецки говорил идеально.

Иногда он усаживал меня и читал мне стихи на немецком. Гёте и других. И хотя я не знала немецкого, я слушала их с удовольствием, он мне тут же пояснял.

Помню, как он переводил с немецкого «Плиха и Плюха» Вильгельма Буша. С большим увлечением.

В доме было довольно много немецких книг, в его собственной библиотеке, и он ими постоянно пользовался.

Когда он куда-нибудь шел или уезжал, он часто брал с собой Библию на немецком. Она была ему необходима.

И как склонен был ко всему немецкому, так не мог терпеть ничего французского. Ни французских авторов, ни французского языка.

Однажды Даню вызвали в НКВД. Не помню уже, повестка была или приехали за ним оттуда. Он страшно испугался. Думал, что его арестуют, возьмут.

Но скоро он вернулся и рассказал, что там его спрашивали, как он делает фокусы с шариками.

Он говорил, что от страха не мог показывать, руки дрожали.

То есть это было, скорей всего, чистое любопытство.

Поистине неисповедима матушка-Россия!

Он очень любил книгу «Голем»[1], о жизни в еврейском гетто, и часто ее перечитывал. А я ее несколько раз брала, и, когда начинала читать, всегда что-нибудь мне мешало дочитать ее. Или кто-нибудь позвонит, или кто-нибудь войдет... — так я и не прочла ее до конца.

Для Дани «Голем» был очень важен. Я даже не знаю почему. Он о ней много говорил, давал мне читать. Это была, так сказать, святая вещь в доме.

[1] Роман австрийского писателя Густава Майринка (1868–1932).

Вообще, он как-то настаивал на таких вот туманных, мистических книгах.

У нас было много друзей-евреев, прежде всего у Дани. Он относился к евреям с какой-то особенной нежностью. И они тянулись к нему.

Шварцы нас приглашали очень часто. Они, видно, понимали, что мы голодные, и старались нас накормить и как-то согреть. И были очень довольны, что мы с удовольствием едим у них. Я чувствовала, а не то чтобы видела и они стремились это показать, — что они всегда хотели нам помочь. Всегда.

У нас Шварцы были один или два раза, не больше. Все-таки у них была совсем другая жизнь, чем у нас, хорошая благоустроенная квартира. А у нас что? У нас была богема. Дырка была там, где я спала. И в ногах у меня — собачка. По правде сказать, некуда было даже посадить людей.

И я, и Даня испытывали к ним большую благодарность. Недавно мне напомнили шуточные стихи Дани, которые он посвящал Наташе и Антону Шварцам. В день рождения Наталии Борисовны он сочинил такой экспромт:

> Шли мы в гости боком боком,
> Подошли и видим дом.
> Посмотрели оком оком
> Да конечно это дом.

Посмотрели оком оком
Дом как дом! Ну просто дом!
Подошли мы к дому боком
Снова смотрим. Видим дом.

Обошли мы дом вокруг.
Увидали двери вдруг.
Подошли мы к двери боком
Постучали тук тук тук.

Дверь открыла нам хозяйка
И сказала: «Мне сегодня
Ровно двадцать пять лет исполнилось!»

Мы сначала помолчали,
А потом пошли к столу:
Ели много, ели долго
Воздавая кушаньям
Эх! от всей души хвалу
И все время поздравляли хозяйку.

Случалось, что Шварцы выручали нас и деньгами. И однажды Даня, возвращая долг, сопроводил его экспромтом:

Возвращаю сто рублей
И благодарю.
И желаньем видеть ВАС
Очень раскалён.

Хаармс

♂ ⟨Вторник⟩ 13 ♍ ⟨августа⟩ 1940. С.-П.-Б.

Как-то раз я пришла домой, а дома не было хлеба.

Даня говорит:

— Я пойду за хлебом.

Он ушел, и нет его час, другой, третий... Я начала волноваться. Что с ним случилось? Потом стала звонить по знакомым.

Я предполагала, куда он зашел. Звоню туда — никто не берет трубку. Через некоторое время позвонила еще раз. Мне ответили, что он пошел за хлебом.

Я подождала сколько-то и позвонила опять. Даня взял трубку и устроил мне небольшой скандальчик. Он был страшно зол. Кричал, что я не имею права его проверять, следить за каждым его шагом. И бросил трубку: ту-ту-ту...

Я уже жила в напряжении. Мне надо было сдавать экзамены за курсы французского, и я никак не могла сосредоточиться.

Я устала от его измен и решила покончить с собой. Как Анна Каренина. (Не знаю, стоит ли об этом писать? Это очень грустно.)

Я поехала в Царское Село, села на платформе на скамеечку и стала ждать поезда.

Прошел один поезд. Я подумала, что нет, брошусь под следующий.

Прошел второй поезд, а я все сидела и смотрела на удаляющиеся вагоны. И думала: «Брошусь под следующий поезд».

Я сидела, сжавшись, на скамейке и ждала следующего поезда. Прошел четвертый, пятый... Я смотрела на проходящие поезда, и у меня не было ни сил, ни духу осуществить задуманное.

Пока я решалась, совсем стемнело. Я подумала: ну что хорошего будет, если я брошусь под поезд? — все равно это ничего не изменит, а я еще, чего доброго, останусь калекой.

Я встала и поехала в город. Когда я вернулась, была уже ночь.

Дане я ничего не сказала. А он оставался такой же, как был. Но во мне что-то в отношении к нему надломилось. Не стало нежности, что ли.

Уйти от него я не могла, потому что, если бы я ушла, я бы очутилась на панели. Уйти мне было некуда.

Но это было началом конца.

Грубым Даня никогда не был, но раздраженным бывал.

Итак, я ему ничего не сказала. Но с моей учительницей французского я, кажется, поделилась. У нее что-то похожее было с мужем, и она мне сочувствовала.

Я была в таком состоянии, что никаких экзаменов бы не выдержала, провалилась.

Варвара Сергеевна поняла, какая у меня обстановка дома, и сказала: «Я вам не дам погибнуть...» Она позвала меня пожить у себя. «Марина, у меня для вас есть свободная комната».

Когда я приняла решение и спросила ее, можно ли мне на две недели, пока будут экзамены, жить у нее, она:

— Да, да, никаких разговоров, — приезжайте!

К Дане я охладела и спокойно сказала ему, что поеду к моей учительнице, чтобы подготовиться к экзаменам. И переехала к Варваре Сергеевне.

Прожила я у нее неделю или две и успокоилась. Во мне вновь вспыхнула любовь и нежность к Дане.

А в Царское Село я ездить перестала. Я дала там несколько уроков французского в школе, и все.

Даня мне сказал, чтобы я больше туда не ездила, потому что пригородные электрички хотя и ходили, но в них не было света. А возвращаться приходилось иногда поздно вечером.

Я поняла, что все равно это будет продолжаться. Понимала, что он меня любит. Да, он меня любил, безусловно любил.

Как я уже говорила, он был очень религиозен. Не помню, была ли я с ним когда-нибудь в церкви. Но у нас, конечно, были в доме иконы.

Он искал, всегда искал Того, Кто помог бы ему не страдать и встать на ноги. Он все время страдал, все время. То он нашел девушку или женщину, в которую влюбился, и жаждал взаимности, то еще чего-то хотел, чего-то добивался и нуждался в помощи. Но он был постоянно измученный от этих своих страданий.

За моей спиной все его друзья надо мной смеялись, я думаю. Они считали, что я глупа и поэтому продолжаю с ним жить, не ухожу от него. Они-то все знали, конечно.

Несмотря ни на что, Даня, я думаю, никогда не сомневался в моей верности. Он знал, что я была ему предана с первого дня нашей встречи.

И теперь, когда я читаю одно его стихотворение, мне посвященное, я убеждаюсь в том, что я права в этом своем чувстве.

Если встретится мерзавка
На пути моем — убью!
Только рыбка, только травка
Та которую люблю.

Только ты моя Фефюлька
Друг мой верный, все поймешь.
Как бумажка, как свистулька
От меня не отойдешь.

Я душой хотя и кроток
Но за сто прекрасных дам
И за тысячу красоток
Я Фефюльку не отдам.

Мы жили только на те деньги, на те гонорары, которые получал Даня. Когда он зарабатывал, когда ему платили, тогда мы и ели. Мы всегда жили впроголодь.

Но часто бывало, что нечего было есть, совсем нечего. Один раз я не ела три дня и уже не могла встать.

Я лежала на тахте у двери и услышала, как Даня вошел в комнату. И говорит:

— Вот тебе кусочек сахара. Тебе очень плохо...

Я начала сосать этот сахар и была уже такая слабая, что могла ему только сказать:

— Мне немножечко лучше.

Я была совершенно мертвая, без сил.

Я слышала мнение — мол, то, что Даня писал для детей, это была у него халтура. Мол, он писал только ради денег.

Конечно, он хотел бы печатать то, что писал для взрослых, что он так любил. Но я не думаю, что для детей он писал халтуру. Я, во всяком случае, никогда этого от него не слышала. По-моему, он относился к занятию детской литературой серьезно. Ходил в «Еж» и «Чиж», к Маршаку... И я не видела, чтобы он стеснялся, что он детский писатель.

И потом, я очень сомневаюсь, что, если бы он писал для детей плёво, кто-нибудь из них так бы любил его стихи и сказки и дети читали бы их с удовольствием. Сомневаюсь. Если бы ему самому не нравилось писать для детей, он бы не мог произвести вещи, которые так нравятся детям.

Стихи для детей давались ему скорее трудно, чем легко. Так я помню. Но все это уже очень далеко от меня.

Даня восхищался переводами Маршака с английского. Особенно переводами из Киплинга, которого Маршак чу́дно перевел.

Кого из поэтов Даня любил и о ком говорил, о его литературных знакомствах я уже мало что помню.

Часто и всегда высоко он упоминал Велимира Хлебникова, это точно. Маяковскому отдавал должное.

Знал Ахматову, бывал у нее. Любил Гумилева. Конечно, сочувствовал в ее беде с сыном, их сыном, который сидел. О том, что сын у Ахматовой сидит, знал весь Петербург. Кто ж не знал этого!

Иногда мне казалось, что он меня любит. А много времени я сомневалась в том, что это так. Правда, сомнения эти возникли у меня не в начале, когда мы поженились, а уже потом. Года через два или три.

Потом я устала от всего этого, от его измен. И со временем мне стало как-то все безразлично.

Почему же мы не развелись? Мне некуда было уйти, и он это тоже понимал.

К тому же все, что происходило вокруг, было так ужасно. У нас в доме уже был голод, отчаянный, мы неизвестно чем держались.

Но бывали такие страшные моменты, когда все взаимные обиды забывались, отступали, — это когда что-то угрожало нам — ему и мне. Тогда все остальное, что было между нами, становилось как бы несущественным.

У нас с Даней были уже отношения скорее дружеские. Мы не могли расстаться, потому что деваться мне было некуда, и я, по правде говоря, смотрела уже на все иначе.

И как-то он мне говорит:

— Я должен что-то сказать тебе... Только дай мне слово, что ты никогда Ольге не скажешь, что ты знала об этом. Ей будет очень больно...

Я говорю:

— Нет, конечно, не скажу.

— У меня был роман с Ольгой. Я все это время жил с ней.

Этого я, признаться, никак не ожидала.

— Ради бога, никогда не проговорись ей! Она очень несчастная... И она никогда мне не простит, если узнает, что я тебе сказал.

Вот как! «Ей будет очень больно». А мне? Впрочем, мне было уже все равно, поскольку все шло к концу.

Я сейчас читаю в дневнике Дани, это тридцать восьмой год: «Марина лежит в жутком настроении. Я очень люблю ее, но как ужасно быть женатым».

О да!

Уже прошло четыре или пять лет, наш брак не был уже такой крепкий, как в начале. И последнее время я сказала себе, что нам можно расстаться.

У Дани есть стихотворение, он его называет «Заумной песенькой», которую я, признáюсь, совершенно не помнила. У меня даже такое впечатление, что он мне никогда его не читал.

Милая Фефюлинька
И Филосóф!
Где твоя тетюлинька
И твой келасóф?

Ваши грудки-пу́почки,
Ваши кулачки.
Ваши ручки-хру́почки,
Пальчики сучки!

Ты моя Фефюлинька,
Куколка-дружок!
Ты моя тетюлинька,
Ягодка-кружок.

Как будто очень нежное. Но вообще я никогда не могла понять, любил он меня или нет, потому что многие вещи — в частности, эти стихи — доказывали, что он меня действительно любил, и вместе с тем — никуда от этого не уйти — он столько раз изменял мне, что я не поручусь за его чувство.

Нет, я не могла бы прожить с ним всю свою жизнь.

Я в конце концов устала от всех этих непонятных мне штук. От всех его бесконечных увлечений, романов, когда он сходился буквально со всеми женщинами, которых знал. Это было, я думаю, даже как-то бессмысленно, ненормально.

А с меня довольно было уже пяти или шести его романов, чтобы я стала отдаляться от него.

Он был не просто верующий, а очень верующий и ни на какую жестокость, ни на какой жестокий поступок не был способен.

У нас уже были такие отношения, что когда я, например, возвращалась с работы, я не сразу входила — я приходила и стучалась в дверь. Я просто знала, что у него там кто-то есть, и, чтобы не устраивать скандал, раньше, чем войти, стучала.

Он отвечал:

— Подожди минут десять...

Или:

— Приди минут через пятнадцать.

Я говорила:

— Хорошо, я пойду что-нибудь куплю...

У меня уже не было ни сильного чувства, ни даже жалости к себе.

Все же мы не расстались, потому что, я думаю, он был удивлен моей чистотой. Все его увлечения меня как-то не пачкали.

При этом я не могу сказать, что я была совсем не ревнива. Скорее — ревновала. И за мной тогда уже бегал какой-то мальчишка, который имел отношение к симфоническим концертам, — не помню какой. Но мы продолжали жить вместе.

Даня научил меня курить трубку. Я до брака курила, но только папиросы. А он подарил мне такую маленькую полированную трубочку, женскую, и научил, как ее раскуривать. Эта Данина трубочка у меня до сих пор есть.

У него самого было множество трубок. Самых разных. Он покупал табак, набивал трубку и очень много курил. Курил и во время работы, когда писал.

Он предчувствовал, что надо бежать. Он хотел, чтобы мы совсем пропали, вместе ушли пешком, в лес и там бы жили.

Взяли бы с собой только Библию и русские сказки.

Днем передвигались бы так, чтобы нас не видели. А когда стемнеет, заходили бы в избы и просили, чтобы нам дали поесть, если у хозяев что-то найдется. А в благодарность за еду и приют он будет рассказывать сказки.

В нем жило это чувство, это желание, высказанное в стихотворении «Из дома вышел человек». Оно было у него как бы внутри, в душе. «Вошел он в темный лес и с той поры, и с той поры, и с той поры исчез...»

Ему было страшно.

Но я как-то плохо отнеслась к этой идее. И по молодости меня это не привлекало.

Я говорю:

— Во-первых, мне нечего надеть. Валенки уже старые, а другие не достанешь...

И у меня уже не было сил бежать. И я сказала ему, что я не могу, потому что у меня нету сил. В общем, я была против этого.

— Ты уходи, — сказала я, — а я останусь.

— Нет, — сказал он, — я без тебя никуда не уйду. Тогда останемся здесь.

Так мы остались.

Я очень испугалась, когда он мне сказал, что он пойдет в сумасшедший дом.

Это было в начале войны. Его могли мобилизовать.

Но он вышел оттуда в очень хорошем настроении, как будто ничего и не было.

Очень трудно объяснить людям, как он, например, притворялся, когда лег в клинику, чтобы его признали негодным к военной службе. Он боялся только одной вещи: что его заберут в армию. Панически боялся. Он и представить себе не мог, как возьмет в руки ружье и пойдет убивать.

Ему надо было идти на фронт. Молодой еще и, так сказать, военнообязанный.

Он мне сказал:

— Я совершенно здоров, и ничего со мной нет. Но я *никогда* на эту войну не пойду.

Он ужасно боялся войны.

Даню вызвали в военкомат, и он должен был пройти медицинскую комиссию.

Мы пошли вдвоем.

Женщина-врач осматривала его весьма тщательно, сверху донизу. Даня говорил с ней очень почтительно, чрезвычайно серьезно.

Она смотрела его и приговаривала:

— Вот — молодой человек еще, защитник родины, будете хорошим бойцом...

Он кивал:

— Да, да, конечно, совершенно верно.

Но что-то в его поведении ее все же насторожило, и она послала его в психиатрическую больницу на обследование. В такой легкий сумасшедший дом.

Даня попал в палату на двоих. В палате было две койки и письменный стол. На второй койке — действительно сумасшедший.

Цель этого обследования была в том, чтобы доказать, что если раньше и были у него какие-то психические нарушения, то теперь все уже прошло, он здоров, годен к воинской службе и может идти защищать родину.

Перед тем как лечь в больницу, он сказал мне: «Все, что ты увидишь, — это только между нами. Никому — ни Ольге, ни друзьям ни слова!.. И ничему не удивляйся...»

Один раз его разрешалось там навестить. Давалось короткое свидание — может быть, минут пятнадцать или чуть больше. Я была уже очень напряжена, вся на нервах. Мы говорили вслух — одно, а глазами — другое.

Ему еще оставалось дней пять до выписки.

Я помню, пришла его забирать из этой больницы. А перед выпиской ему надо было обойти несколько врачей, чтобы получить их заключение, что он совершенно здоров.

Он входил в кабинет к врачу, а я ждала его за дверью.

И вот он обходит кабинеты, один, другой, третий, врачи подтверждают, что все у него в порядке. И остается последний врач, женщина-психиатр, которая его раньше наблюдала.

Дверь кабинета не закрыта плотно, и я слышу весь их разговор.

«Как вы себя чувствуете?» — «Прекрасно, прекрасно». — «Ну, все в порядке».

Она уже что-то пишет в историю болезни.

Иногда, правда, я слышу, как он откашливается: «Гм, гм... гм, гм...» Врач спрашивает: «Что, вам нехорошо?» — «Нет, нет. Прекрасно, прекрасно!..»

Она сама распахнула перед ним дверь, он вышел из кабинета и, когда мы встретились глазами, дал мне понять, что он и у этого врача проходит.

Она стояла в дверях и провожала его:

— Я очень рада, товарищ, что вы здоровы и что все теперь у вас хорошо.

Даня отвечал ей:

— Это очень мило с вашей стороны, большое спасибо. Я тоже совершенно уверен, что все в порядке.

И пошел по коридору.

Тут вдруг он как-то споткнулся, поднял правую ногу, согнутую в колене, мотнул головой: «Э-э, гм, гм!..»

— Товарищ, товарищ! Погодите, — сказала женщина. — Вам плохо?

Он посмотрел на нее и улыбнулся:

— Нет, нет, ничего.

Она уже с испугом:

— Пожалуйста, вернитесь. Я хочу себя проверить, не ошиблась ли я. Почему вы так дернулись?

— Видите ли, — сказал Даня, — там эта белая птичка, она, бывает, — бывает! — что вспархивает — пр-р-р! — и улетает. Но это ничего, ничего...

— Откуда же там эта птичка? и почему она вдруг улетела?

— Просто, — сказал Даня, — пришло время ей лететь — и она вспорхнула, — при этом лицо у него было сияющее.

Женщина вернулась в свой кабинет и подписала ему освобождение.

Когда мы вышли на улицу, меня всю трясло и прошибал пот.

Даня Ювачев. Фотография Левицкого.
Санкт-Петербург (?). 1906 г. Из архива В. И. Глоцера

Иван Павлович Ювачев, отец Даниила Хармса.
Фотография А. Оцупа. Санкт-Петербург
(Бессейная, угол Литейного, № 2-36). 1900-е гг.
Из архива В. И. Глоцера

Даня Ювачев. Фотография «Boissionas et Eggler» (Невский пр., д. 24). 1907 г. Из архива В. И. Глоцера

Даня Ювачев. Ок. 1913 г. Из архива В. И. Глоцера

Елизавета Ювачева. 1915 г. Из архива В. И. Глоцера

Даниил Хармс и художница Алиса Порет.
Ленинград. Начало 1930-х гг.
Из архива В. И. Глоцера

«Хармс и я (Порет)». 1933 г.
Из архива В. И. Глоцера

Даниил Хармс и художница Татьяна Глебова позируют
для домашнего «фильма» из серии «Неравный брак».
Фотография П. Мокиевского. Ок. 1932 г.
Из архива В. И. Глоцера

Даниил Хармс и художница Татьяна Глебова позируют
для домашнего «фильма» из серии «Неравный брак».
Фотография П. Моккиевского. Ленинград. Начало 1930-х гг.
Из архива В. И. Глоцера

Марина Малич в первый год замужества.
Фотография Д. Хармса (?). 1934 г.
Из архива М. В. Дурново

Марина Малич.
Фотография Д. Хармса (?).
Не ранее 1934 г.
Из архива В. И. Глоцера

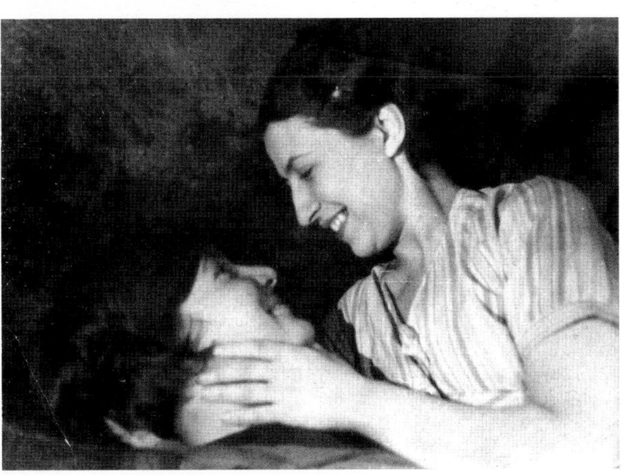

Марина Ржевуская и Марина Малич.
1930-е гг. На обороте надпись
рукой М. Малич: «Две Марины». Из архива В. И. Глоцера

Марина Малич.
1930-е гг.
Из архива В. И. Глоцера

Даниил Хармс
на балконе Дома книги.
Невский проспект.
Фотография Г. Левина (?).
Середина 1930-х гг.
Из архива В. И. Глоцера

Даниил Хармс. Последняя известная нам
фотография перед арестом.
На обороте рукой Д. Хармса,
красным карандашом: «12/VI-38 г.»
Из архива М. В. Дурново

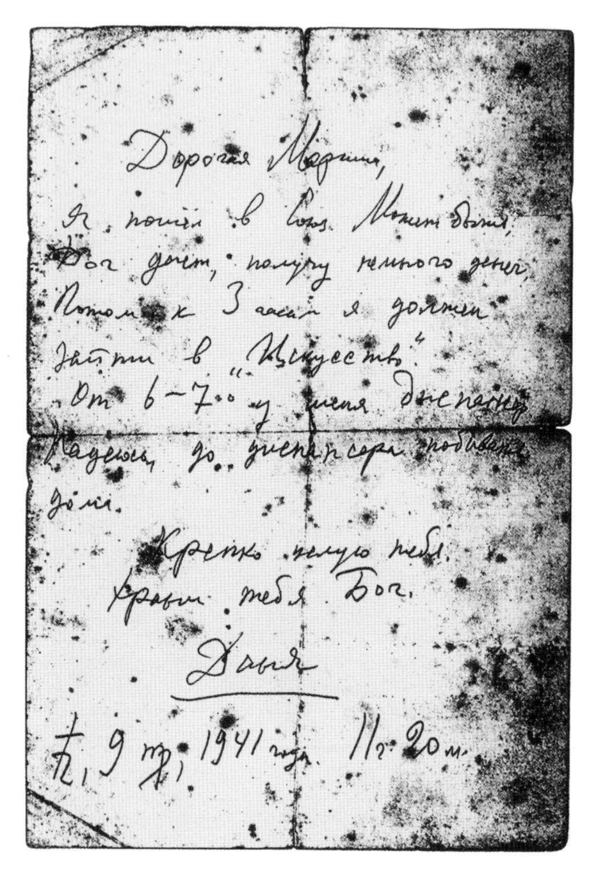

Дорогая Марина,

Я пошел в Союз. Может быть,
Бог даст, получу немного денег.
Потом к 3 часам я должен
зайти в „Искусство".
От 6–7 у меня диспансер.
Надеюсь до диспансера побывать
дома.

Крепко целую тебя.
Храни тебя Бог.

Даня

Пт. 9 авг. 1941 года. 11 ч. 20 м.

Последний известный нам автограф Даниила Хармса — записка, обращенная к жене, 9 августа 1941 г.
Из архива М. В. Дурново

Протокол обыска

Гор. Ленинград 23 августа месяца 1941 г.

УНКГБ Л.О. Янюк и Безматных

название органа НКГБ и фамилия сотрудника

На основании ордера за № 550 от 23 августа месяца 1941 г. в присутствии домоработника Гнидаева Игнатия Максимиановича и жены арестованного Малич Марины Владимировны

фамилия, имя и отчество понятых лиц

Руководствуясь ст.ст. 175—185 УПК произвел обыск у Ювачева Хармса Даниила Ивановича

в доме № 11 кв. № 8 по улице Маяковского

Согласно ордера задержан —

фамилия, имя и отчество

Из'ято при обыске следующее: 1) Писем в разорванных конвертах 22 шт.

2) Записных книжек с разными записями 6 штук

3) Религиозных разных книг 4 штук.

4) одна книга на иностранном языке

5) разная переписка на 3 листах.

6) одна фотокарточка

Протокол обыска (лицевая сторона). 23 августа 1941 г.
Из архива М. В. Дурново

Марина Дурново с портретом Даниила Хармса.
Фотография В. И. Глоцера. Венесуэла, Валенсия.
Ноябрь 1996 г.

Марина Дурново в буддийском одеянии.
Фотография В. И. Глоцера.
Венесуэла, Валенсия. Ноябрь 1996 г.

Марина Дурново и Владимир Глоцер.
Фотография Ирины Джаксон. Венесуэла,
Мараккой. Середина ноября 1996 г.
Из архива В. И. Глоцера

Но конечно — конечно! — когда были такие моменты страшные, что извне что-то угрожало — ему, мне, — тогда все остальное забывалось, отступало и мы были с ним нераздельны, защищались вместе.

Когда начался весь этот ужас, мы, так сказать, стерли все, что было между нами, и я только хотела помочь ему. И он — мне.

Я что-то помню, что раз-другой бдительные мальчишки принимали его за шпиона и приводили в милицию. Или просто показывали на него милиционеру. Его забирали, но потом отпускали. Он же всегда носил с собой книжку члена Союза писателей, и все тогда оканчивалось благополучно.

В июле или в начале августа сорок первого всех женщин забирали на трудработы, рыть окопы. Я тоже получила повестку.

Даня сказал:

— Нет, ты не пойдешь. С твоими силенками — только окопы рыть!

Я говорю:

— Я не могу не пойти — меня вытащат из дому. Все равно меня заставят идти.

Он сказал:

— Подожди, — я тебе скажу что-то такое, что тебя рыть окопы не возьмут.

Я говорю:

— Все-таки я в это мало верю. Всех берут — а меня не возьмут! — что ты такое говоришь?

— Да, так будет. Я скажу тебе такое слово, которое... Но сейчас я не могу тебе его сказать. Я раньше поеду на могилу папы, а потом тебе скажу.

Он поехал на трамвае на кладбище и провел на могиле отца несколько часов. И видно было, что он там плакал.

Вернулся страшно возбужденный, нервный и сказал:

— Нет, я пока еще не могу, не могу сказать. Не выходит. Я потом скажу тебе...

Прошло несколько дней, и он снова поехал на кладбище.

Он не раз еще ездил на могилу отца, молился там и, возвращаясь домой, повторял мне:

— Подожди еще. Я тебе скажу. Только не сразу. Это спасет тебе жизнь.

Наконец однажды он вернулся с кладбища и сказал:

— Я очень много плакал. Просил у папы помощи. И я скажу тебе. Только ты не должна говорить об этом никому на свете. Поклянись.

Я сказала:

— Клянусь.

— Для тебя, — он сказал, — эти слова не имеют никакого смысла. Но ты их запомни. Завтра ты пойдешь туда, где назначают рыть окопы. Иди спокойно. Я тебе скажу эти два слова, они идут от папы. — И он произнес эти два слова: «красный платок».

Я повторила про себя: «красный платок».

— И я пойду с тобой, — сказал он.

— Зачем же тебе идти?

— Нет, я пойду.

На следующий день мы пошли вместе на этот сбор, куда надо было явиться по повестке.

Что там было! Толпы, сотни, тысячи женщин, многие с детьми на руках. Буквально толпы — не протолкнуться! Все они получили повестки явиться на трудовой фронт.

Это было у Смольного, где раньше помещался Институт благородных девиц.

Даня сел неподалеку на скамейку, набил трубку, закурил, мы поцеловались, и он сказал мне:

— Иди с Богом и повторяй то, что я тебе сказал.

Я ему абсолютно поверила, потому что знала: так и будет.

И я пошла. Помню, надо было подниматься в гору, — там была такая насыпь, то ли из камня, то ли из земли. Как гора. На вершине этой горы стоял стол, за ним двое, вас записывали, вы должны были получить повестку и расписаться, что вы знаете, когда и куда явиться на трудработы.

Было уже часов двенадцать, полдень, а может, больше — не хочу врать. Я шла в этой толпе, шла совершенно спокойно: «Извините... Извините... Извините...» И была сосредоточена только на этих двух словах, которые повторяла про себя.

Не понимаю, каким образом мне удалось взойти на эту гору и пробиться к столу. Все пихались, толкались, ругались. Жуткое что творилось! А я шла и шла.

Дохожу — а там рев, крики: «Помогите, у меня грудной ребенок, я не могу!..», «Мне не с кем оставить детей...»

А эти двое, что выдавали повестки, кричали:

— Да замолчите вы все! Невозможно работать!..

Я подошла к столу в тот момент, когда они кричали:

— Все! все! Кончено! Кончено! Никаких разговоров!

Я говорю:

— У меня больной муж, я должна находиться дома...

Один другому:

— Дай мне карандаш. У нее больной муж.

А ко всем:

— Все, все! Говорю вам: кончено!.. — И мне: — Вот вам — вам не надо являться, — и подписал мне освобождение.

Я даже не удивилась. Так спокойно это было сказано.

А вокруг неслись мольбы:

— У меня ребенок! Ради бога!

А эти двое:

— Никакого бога! Все, все расходитесь! Разговор окончен! Никаких освобождений!

И я пошла обратно, стала спускаться.

Подошла к Дане, он сидел на той же скамейке и курил свою трубку.

Взглянул на меня: ну что, я был прав? Я говорю:

— Я получила освобождение. Это было последнее... — и разревелась.

Я больше не могла. И потом, мне было стыдно, что мне дали освобождение, а другим, у которых дети на руках, нет.

Даня:

— Ага, вот видишь! Теперь будешь верить?

— Буду.

— Ну слава богу, что тебя освободили.

Весь день я смотрела на него и не знала, что сказать.

Он заметил мой взгляд и сказал:

— Не смотри так: чудес много на земле.

Мы вернулись домой. И к нам пришла Ольга. Она уже работала в школе, преподавала английский.

Даня был в душе очень добрый. Он сказал мне:

— Пригласи Ольгу, чтобы она пришла к нам поесть.

Кажется, у нас был суп.

И Ольга пришла. Она не знала, что мне уже известно об их отношениях. Но я ей, конечно, ничего не сказала и даже не подала виду, что все знаю.

О настроениях тех дней мне напомнило мое сохранившееся письмо к Наташе Шварц. Она была уже в эвакуации в Молотове (Перми), и я ей писала. Конечно, я не забывала о военной цензуре и прибегала кое-где к иносказаниям.

«22/VIII

Дорогая Наталия Борисовна,

Вы совершенно справедливо меня ругаете, что я не ответила на обе Ваши открытки, но были обстоятельства, которые помешали мне это сделать.

Я около 2^{х} недель работала на трудработах, но в городе. Уставала отчаянно. У нас все так же, как и при Вас, с той только разницей, что почти все знакомые разъехались, а Даня получил II группу инвалидности. Живем почти впроголодь; меня обещали устроить на завод, но боюсь, что это не удастся.

Девятнадцатого числа из Л-да уехал к Вам в Пермь Мариинский театр. Как видите, все стекается в Ваши далекие края. С театром выехал Всеволод Горский и возможно Вы с ним там встретитесь. Предупреждаю Вас, что накануне отъезда он сделал очень мелкую подлость, которая охарактеризовала ⟨его⟩ с самой нехорошей стороны, поэтому будьте с ним осторожнее, если увидитесь. Милая, дорогая моя Наталия Борисовна, если бы Вы чувствовали, как здесь тоскливо стало жить после разъезда всех близких.

Вчера уехала Данина сестра, и в квартире пусто и тихо, кроме старухи, кот⟨орая⟩ наперекор всем продолжает жить.

У меня лично неважно на душе, но все это не напишешь, страшно не хватает Вас. Очень нравится мне

Нина Ник⟨олаевна⟩[1], и я часто у нее бываю, вспоминаем Вас.

Видела 2 раза Mme[2], она выглядит не очень хорошо, думаю, что тоже покинет милый Ленинград. Даня просит поцеловать Вас обоих, я крепко, крепко целую Вас, и передайте больш⟨ой⟩ привет Антону Ис⟨ааковичу⟩.

Ваша *Марина*».

Как потом оказалось, я написала это письмо буквально накануне рокового дня.

Даня, наверное, жил в предчувствии, что за ним могут прийти. Ждал ареста. У меня, должна сознаться, этого предчувствия не было.

В один из дней Даня был особенно нервный.

Это была суббота. Часов в десять или одиннадцать утра раздался звонок в квартиру. Мы вздрогнули, потому что знали, что это ГПУ, и заранее предчувствовали, что сейчас произойдет что-то ужасное.

И Даня сказал мне:

— Я знаю, что это за мной...

1 Жена ленинградского писателя Григория Эммануиловича Сорокина (1898–1954), репрессированного после войны и умершего в лагере.

2 Шутливое прозвище общего знакомого — Федора Давыдовича Полякова, адвоката. Умер в блокаду.

Я говорю:

— Господи! Почему ты так решил?

Он сказал:

— Я знаю.

Мы были в этой нашей комнатушке как в тюрьме, ничего не могли сделать.

Я пошла открывать дверь.

На лестнице стояли три маленьких странных типа.

Они искали его.

Я сказала, кажется:

— Он пошел за хлебом.

Они сказали:

— Хорошо. Мы его подождем.

Я вернулась в комнату, говорю:

— Я не знаю, что делать...

Мы выглянули в окно. Внизу стоял автомобиль. И у нас не было сомнений, что это за ним.

Пришлось открыть дверь. Они сейчас же грубо, страшно грубо ворвались и схватили его. И стали уводить.

Я говорю:

— Берите меня, меня! Меня тоже берите.

Они сказали:

— Ну пусть, пусть она идет.

Он дрожал. Это было совершенно ужасно.

Под конвоем мы спустились по лестнице.

Они пихнули его в машину. Потом затолкнули меня.

Мы оба тряслись. Это был кошмар.

Мы доехали до Большого дома. Они оставили автомобиль не у самого подъезда, а поодаль от него, чтобы люди не видели, что его ведут. И надо было пройти еще сколько-то шагов. Они крепко-крепко держали Даню, но в то же время делали вид, что он идет сам.

Мы вошли в какую-то приемную. Тут двое его рванули, и я осталась одна.

Мы только успели посмотреть друг на друга.

Больше я его никогда не видела.

И тогда они повернулись и пихнули меня:

— Иди вперед.

И потащили меня на улицу, но так, чтобы не видно было, как они меня ведут. Я шла немножко впереди, а они сзади.

И повернули туда, где стоял этот поганый автомобиль.

Они втолкнули меня в машину, двое сели от меня по бокам — наверное, чтобы я не сбежала, — и повезли меня в нашу квартиру.

И тут начался обыск. Ужас что такое было! Все падало, билось. Они все швыряли, рвали, выкидывали. Разрывали подушки. Всюду лезли, что-то искали, хватали бумаги — все, что попадало под руку. Вели себя отвратительно.

Я сидела не шелохнувшись. Что я могла сделать?!

Под конец они сели писать протокол.

Не понимаю как, но он у меня сохранился. Это единственный документ, который я вывезла.

Протокол обыска

Гор. *Ленинград* „*23*“ *августа* месяца 194*1* г.

УНКВД. л. о. Янюк и Безпашнин

название органа НКГБ и фамилия сотрудника

На основании ордера за № *550* от „*23*“ *августа* месяца 194*1* г. в присутствии *доморaботника Кильдеева Ибрагима*

фамилия, имя и отчество понятых лиц

Шакиржановича и жены арестованного Малич Марины Владимировны

Руководствуясь ст. ст. 175–185 УПК произвел обыск у *Ювачева-Хармса*

Даниила Ивановича

в доме № *11* кв. № *8* по улице *Маяковского*

Согласно ордера задержан

фамилия, имя и отчество

Из'ято при обыске следующее: *1) Писем в разорванных конвертах 22 шт.*

2) Записных книжек с разными записями 5 штук

3) Религиозных разных книг 4 штук.

4) одна книга на иностранном языке[1]

5) разная переписка на 3х листах.

6) одна фотокарточка

Тип. им. Урицкого Зак 943-с

1 На немецком *(Примеч. М. Дурново.)*

На обратной стороне:

Обыск производился с *13.00* час. до *14.45* час.
При обыске заявлены жалобы:

1) на неправильности, допущенные при обыске и заключающиеся, по мнению жалобщика, в следующем *Не поступило*.

2) На исчезновение предметов, не занесенных в протокол, а именно:

Не поступило.

При обыске опечатано

печатью №

Подпись лица, у которого производился обыск:

Малич (Малич)

Понятые *доморботник Кильдеев (Кильдеев)*

Производивший обыск сотрудник НКГБ

Янюк (Янюк)

Беспа (Безпашнин)

Все претензии и поступившие заявления внесены в протокол.

За всеми справками, указывая № ордера, день его выдачи, когда был произведен обыск, обращаться в Комендатуру УНКГБ ЛО по проспекту Володарского д. № 6, Справочное бюро.

Копию протокола обыска получил: *Малич*

(Малич)

„*23*“ *августа* 194*1* года.

Они ушли и оставили меня одну.

Я сидела, не в силах пошевелиться. Все было кончено.

Через некоторое время был звонок по телефону. Звонил кто-то из друзей.

Видимо, все интуитивно ожидали, что что-то случится.

Меня спросили о Дане.

Я сказала:

— Да, — очень коротко.

Кто-то принес мне поесть. Я говорила только:

— Не надо, не надо, не надо, не надо...

Я никуда не ходила. Ничего есть не могла. Да и еды уже никакой не было. С каждым днем было все хуже и хуже.

Уже давно, много лет назад, я прочла воспоминания Л. Пантелеева «Из ленинградских записей» и выписала следующее:

«А вот улица Маяковского. Здесь в доме № 11 жил Даниил Иванович Хармс... Еще в августе, кажется, 1941 года пришел к нему дворник, попросил выйти за чем-то во двор. А там уже стоял „черный ворон“. Взяли его полуодетого, в одних тапочках на босу ногу...»

Был ли Даня «в одних тапочках на босу ногу» в этот момент, я уже не помню. Может быть, и так, потому что месяц был летний. Дворник действительно присутствовал «в понятых». Но он не просил его «выйти за чем-то во двор». Это был с первой минуты явный арест, и никаких сомнений, зачем они пришли, ни у меня, ни у Дани не было.

Я не знала, что делать, куда бежать.

Уже не было в живых отца Дани, старика Ювачёва, и некому было хлопотать за него.

Я была совершенно беспомощна, одна.

То, что произошло с Даней, было даже страшно сообщать кому-нибудь. Я могла говорить об аресте Дани только намеками. Особенно в письмах.

Наташа Шварц прекрасно знала, что случилось с Николаем Макаровичем Олейниковым несколько лет назад, в тридцать седьмом году, когда его арестовали[1]. И я ей писала через неделю после ареста Дани:

«1/IX

Дорогая Наталия Борисовна,

двадцать третьего августа Даня уехал к Никол⟨аю⟩ Макаровичу, я осталась одна, без работы, без денег, с бабушкой на руках. Что будет со мной, я не знаю, но знаю только то, что жизнь для меня кончена с его отъездом.

Дорогая моя, если бы у меня осталась хотя бы надежда, но она исчезает с каждым днем.

Я даже ничего больше не могу Вам писать, если получите эту открытку, ответьте, все-таки как-то теп-

[1] *Олейников* Николай Макарович (1898–1937) — поэт и детский писатель. Арестован в июле и расстрелян в ноябре 1937 г.

лее, когда знаешь, что есть друзья. Я никогда не ожидала, что он может бросить меня именно теперь.

Целую Вас крепко

Ваша *Марина*».

Когда оцепененье прошло, я бросилась искать его по тюрьмам. Я искала его повсюду и никак не могла узнать, в какой тюрьме его держат.

Наконец кто-то сказал мне, где он находится и в какой день можно передать ему передачу.

Я пошла туда.

Надо было по льду переходить Неву.

На Неве лежал снег. Выше моего роста. И в нем был протоптан узкий проход, так что двое едва-едва могли протиснуться плечом к плечу.

Я надела валенки и пошла. Я шла, шла, шла, шла, шла...

Когда я уходила из дому, было утро, а когда возвращалась — черная ночь.

Раза два я доходила туда, где он был, и у меня принимали передачу.

А на третий...

Когда я искала, где находится Даня, мне, очевидно, кто-то сказал, что его услали в Новосибирск. Наташа Шварц, которая эвакуировалась в Пермь, была, несомненно, ближе к нему. С этим связана моя просьба в следующем письме.

«Ленинград
30/XI–41

Милая, дорогая моя Наталия Борисовна! Пользуюсь оказией, чтобы послать Вам это письмо. Очень, очень давно не имею от Вас вестей, но хотя и очень хотелось бы что-нибудь получить — все же не беспокоюсь, т. к. уверена, что Вы хорошо живете.

Я всеми силами души стремлюсь отсюда выехать, но для меня, к сожалению, это не представляется возможным. Боюсь, что мне уж не придется Вас увидеть, и не могу сказать, как это все грустно. Бабушка моя совсем уж не встает, да и я не многим лучше себя чувствую. Одна моя мечта это уехать отсюда и хоть немножко приблизиться к Дане. Я по-прежнему не работаю, и в материальном отношении очень тяжело, но это все ерунда.

Я почти не выхожу из дома и никого не вижу, да и нет охоты выходить, т. к. вид города стал довольно противным.

Изредка вижу Яшку, а так больше никого. Леонид Савельевич пропал без вести — вот уже три месяца мы о нем ничего не знаем. Александра Ивановича постигла Данина участь, в общем я осталась здесь совсем сиротой.

Я Вам уже писала, если Вы получили мое письмо, что я переехала в писательскую надстройку, т. к. моя квартира непригодна временно для жилья[1]. Все вещи

[1] М. В. Малич переехала в квартиру 124 в доме № 9 по каналу Грибоедова.

свои я бросила и живу здесь среди всего чужого и далекого моему сердцу, но сейчас жизнь так все изменила, что ничего не жаль, кроме собственной жизни и людей. Ах, как мне Вас не хватает, как хотелось бы с Вами поделиться и возле Вас хоть немножко отдохнуть и отогреться.

Я сознаю всю безалаберность моего письма, но если бы Вы, дорогая, поняли, как трудно все переживать совершенно одной, почти без надежды на возможность встречи с близкими и дорогими людьми.

Если в городе будет Саянова[1], с которой я отправляю это письмо, она кажется едет в Пермь, то постарайтесь непременно ее увидеть, она Вам подробнее обо мне расскажет.

Третьего дня вместе с Мурой Шварц[2] встретились в бомбоубежище, где только не происходят встречи! Она волнуется, что долго от Вас не имеет известий.

Из Ленинграда очень многим удается вылететь, но для этого нужны, конечно, данные, которых у меня нет, если получите это письмо, пожалуйста дайте телеграмму о своем здоровьи, уж очень давно от Вас ничего нет.

Я на всякий случай написала Вам Данин адрес, т. к. боюсь, чтобы он не остался в конце концов совсем один. Город Новосибирск, учреждение Вы знаете, Ювачеву-Хармс. Если будет возможность, пошлите

[1] *Рыкова* Екатерина Январьевна (1906–1980) — жена писателя В. М. Саянова.

[2] *Шварц* Маргарита Исааковна (1912–1996) — балерина и хореограф, младшая сестра Антона Шварца.

ему хоть рубл. 50 или 40. Если он уже доехал, это будет для него поддержкой. Простите меня, что и здесь я докучаю Вас просьбами, но что делать, другого выхода нет. Тоскую я о нем смертельно, и это главная причина моего тяжелого душевного состояния. Я так верю, что все скоро кончится хорошо и что мы прогоним этих мерзавцев, что это единственная причина, из-за которой хочется жить и всеми силами бороться за эту возможность. Мечтаю о Ваших вкусных ужинах и таких приятных вечерах, которые мы проводили у Вас после концертов Антона Исааковича! Это теперь кажется далеким сном.

Пришлите мне телеграмму поскорее, не откладывайте, я все-таки с моим здоровьем никогда ни за что не могу ручаться. Хотелось бы хоть знать, что Вы здоровы и относительно счастливы.

Целую Вас крепко, крепко как люблю, неужели нам не суждено будет еще вместе сидеть и кушать всякие вкусные вещи?

Всем сердцем Ваша *Марина*

Привет Ант⟨ону⟩ Ис⟨аакович у⟩».

Видимо, в тот же день, но позднее, мне опять сказали, что Даню услали в Новосибирск. И я снова писала Наталии Шанько уже обычной почтой.

«Дорогая Наталия Борисовна,

простите за бессвязное письмо, но только что подтвердилось известие, что Дан. Ив. в Новосибирске.

Если у Вас есть какая-нибудь материальная возможность, помогите ему, от Вас это ближе и вернее дойдет. Я со своей стороны делаю все возможное, но мое ⟨положение⟩ сложнее из-за дальности расстояния. Делать это надо как можно скорее.

Адрес: Новосибирск НКВД, **тюрьма** заключенному Дан⟨иилу⟩ Ив⟨ановичу⟩ от моего имени. Буду Вам бесконечно благодарна, обращаюсь именно к Вам, т. к. знаю Ваше к себе отношение, а Вы лучше чем кто-либо представляете мою жизнь сейчас и всю тяжесть, которую мне приходится на себе нести. Если от Вас есть возможность узнать относительно посылки теплых вещей и в каком положении его дело, ведь он душевно больной, и эта мысль сводит меня с ума.

Целую Вас, моя дорогая и милая, и простите меня за те неприятные минуты, которые я Вам доставляю, но я теряю голову, как бы мне с ним связаться».

Сбоку на этой открытке я приписала, чтобы напомнить Наталии Борисовне, как Даня значится в паспорте: «фамилия: Ювачев-Хармс».

Наверное, и в третий раз я пошла туда же, чтобы передать ему передачу.

Я положила кусочек чего-то — может быть, хлеба, — что-то маленькое, мизерное, что я могла передать ему. Пакетик был крошечный.

Всем знакомым я сказала, что иду туда, чтобы все знали, потому что я могла и не дойти, у меня могло не хватить сил, а туда надо было идти пешком.

Я шла. Солнце светило. Сверкал снег. Красота сказочная.

А навстречу мне шли два мальчика. В шинельках, в каких ходили гимназисты при царе. И один поддерживал другого. Этот уже волочил ноги, и второй почти тащил его. И тот, который тащил, умолял: «Помогите! Помогите! Помогите! Помогите!»

Я сжимала этот крошечный пакетик и, конечно, не могла отдать его.

Один из мальчиков начинал уже падать. Я с ужасом увидела, как он умирает. И второй тоже начинал клониться.

Все вокруг блистало. Красота была нечеловеческая — и вот эти мальчики...

Я шла уже несколько часов. Очень устала.

Наконец поднялась на берег и добралась до тюрьмы.

Там, где в окошко принимают передачи, кажется, никого не было или было совсем мало народу.

Я постучала в окошко, оно открылось. Я назвала фамилию — Ювачев-Хармс — и подала свой пакетик с едой.

Мужчина в окошке сказал:

— Ждите, гражданка, отойдите от окна, — и захлопнул окошко.

Прошло минуты две или минут пять. Окошко снова открылось, и тот же мужчина со словами:

— Скончался второго февраля, — выбросил мой пакетик в окошко.

И я пошла обратно. Совершенно без чувств. Внутри была пустота.

У меня мелькнуло: «Лучше бы я отдала это мальчикам». Но все равно спасти их было уже нельзя.

Солнце садилось, и делалось все темнее.

Я была в таком отчаянии, что не могла уже ни думать, ни идти. Мне нужно было как-то почувствовать себя.

Не помню, как я дотащилась до Яши Друскина. Он очень любил Даню. И меня тоже.

Увидев, он все понял. Говорить было не нужно — такой ужас был на моем лице.

Яша Друскин жил вместе со своей мамой, немного сгорбленной.

Она поставила перед ним тарелку супу и сказала:

— Это тебе. Это последняя тарелка супа.

Он сказал:

— Нет, мама. Дай суп Марине, пусть она ест.

Мать поколебалась, и он повторил:

— Мама, я говорю тебе, что я это не трону, если ты не дашь его Марине.

Она пожала плечами и подала тарелку мне.

Я думаю, что этот суп был из собачины.

Не помню, как я доплелась до дому. Я была черной от горя. И очень промерзла.

Чтобы как-то согреться, я затопила печку и бросила в нее что-то из мебели. Большие доски.

Я сидела у огня — конечно, в пальто, закутавшись еще во что-то поверх пальто, и думала, думала, думала...

Зазвонил телефон. Я дотащилась до него в коридор.

Звонила из больницы моя сестра Ольга. Ей как учительнице дали там место, положили ее, потому как только дистрофии, чтобы лечь в больницу, было недостаточно.

— Маня?

Говорю:

— Это я.

Она говорит:

— Как ты?

Я говорю:

— Плохо.

Она говорит:

— Я сейчас встану и приеду.

Я говорю:

— Не надо.

Потом спросила:

— А Даня? — она его тоже любила.

Я сказала:

— Его больше нет.

Она сказала:

— Я приду к тебе.

Я говорю:

— Не приходи. Я должна сейчас сама для себя решить: или я покончу с собой, или я буду продолжать жить, — и повесила трубку.

Я вернулась в комнату, села у огня и смотрела, смотрела в него.

Не знаю, сколько часов я сидела так без движения. Это был конец.

Потом я встала и сказала себе: «Надо жить. Я выбираю жизнь». И дальше продолжался этот кошмар.

Когда Даню посадили, я как-то нашла на Надеждинской под своей дверью сверток, а в нем хлеб, кусочек сахара и, кажется, немножко денег. Был уже страшный голод. Я долго ломала голову: кто бы это мог сделать?

Мне бы обрадоваться, но меня мучило подозрение, что этот сверток подложил один литератор, еврей, который бывал у нас и фамилию которого я теперь уже не помню, и сделал он это во искупление своей вины перед Даней. Может быть, донес на него, а потом пожалел об этом. Во всяком случае, мне показалось, что он хотел что-то замазать. Вот такое у меня было чувство в душе, потому что никаких видимых причин помогать мне у него не было, и в этом была какая-то грязь.

А может быть, и не он принес, — не знаю.

Совершенно не помню, как я отдавала Яшке Друскину рукописи Дани. Но человеку, который поделился со мной последней тарелкой супа, я могла их отдать.

Я уже жила в писательской надстройке на канале Грибоедова, в пустой квартире какого-то известного писателя, который был в эвакуации.

Я переехала туда, потому что в наш дом на Надеждинской попала бомба. Квартира наша не была разрушена, но в доме уже нельзя было жить.

Значит, я жила теперь на канале Грибоедова, неподалеку от храма Воскресения Господня, на одной площадке с Зощенко. То есть на той же площадке, на третьем этаже, где была квартира Зощенко. Как раз напротив его квартиры.

В один из дней ко мне пришел человек из Союза писателей. Он знал Даню. Кажется, это был известный писатель, я уже не помню сейчас его фамилию.

Он сказал, что уходит последний грузовик на Большую землю. Последний! И мне, как жене писателя, могут дать в нем место. Я включена в список на эвакуацию. Причем у меня есть возможность взять с собой еще одного — только одного! — человека: мать, отца, сестру или своего ребенка.

Я сейчас же подумала об Ольге.

Он сказал, куда и в какой час я должна прийти. Где будет сбор и так далее.

Я сразу же позвонила Ольге. И говорю:

— Оля, есть возможность уехать вместе со мной...

Конечно, никаких мыслей о том, что у нее был роман с Даней, у меня в этот момент не было. Я хотела ее спасти.

Она уже вышла из клиники. И пришла ко мне.

Я говорю:

— Я тебя прошу, я тебя умоляю — едем со мной.

Она говорит:

— Нет, Машка, — она звала меня Машка, — я не поеду, тут недалеко мама, и я не уеду отсюда.

Лили́ уже не было в живых.

Я говорю:

— Хорошо. Подумай еще. У тебя есть время подумать. Ты сюда вернешься...

Она ни в какую!

Я снова:

— Оля, подумай, мне уже надо сообщить, одна я еду или с тобой. Решай!

Я сняла со стены икону, большую, мамину, поставила ее на табуретку, чтобы она стояла. Эта икона была у мамы с тех пор, как она вышла замуж. Она висела у нее над кроватью.

Я произнесла молитву. Оля тоже. Мы поцеловались.

Я ее опять стала упрашивать. Я говорю:

— Есть время подумать. Немножко. Надо сообщить, едешь ли ты, потому что последняя машина уходит.

Но она:

— Нет. Положимся на волю Божью. Я остаюсь.

Я ее перекрестила, и на прощанье мы обнялись.

У меня уже были готовы санки. Маленькие детские санки, мне кто-то дал.

Я уже не могла ничего нести в руках, даже легкое. Я собрала, что могла взять с собой, в небольшой узелок.

Взяла нашу Библию, несколько фотографий, не помню еще что.

И ринулась с этим узелком на сборный пункт. На вокзал.

Когда я пришла туда, я увидела огромные грузовики с высокими бортами, в которых возят скот. Это были последние машины, которые уходили на Большую землю.

Я попала в группу вместе с артистами, вообще с людьми театра.

У меня был с собой кусок хлеба, я его прятала под рубашкой.

Люди залезали в кузов, а многих втаскивали, у кого уже не было сил залезть.

В кузове людей укладывали друг на друга. Крест-накрест. В несколько рядов. Самые слабые и самые больные — внизу, чтобы к ним поступало тепло. А сверху — те, кто помоложе и поздоровее.

Человек лежал под грудой тел. Он умирал, кричал — ничего не помогало.

И кузов был накрыт брезентом.

Нас всех строго-настрого предупредили: «Ни единого слова! Чтобы не было слышно человеческого голоса! Тот, кто скажет слово или произведет малейший шум, будет немедленно выброшен из машины...»

Эта дорога простреливалась, и только малейший шум — моментально начиналась пальба.

В колонне было четыре или пять машин, таких же огромных, как наша.

Была ночь, под брезентом ничего не было видно. Мы только чувствовали, что едем. И мне уже становилось чуточку легче, потому что я начинала спасаться.

Иногда колонна останавливалась, и сидевший в кабине напоминал: «Я предупредил, чтобы никакого шума!»

Не знаю, как я на это решилась, но я все время думала: «Боже, как мне посмотреть, где мы едем?..» Я хотела видеть. Я была наверху, не под какими-то телами, потому что я была самая молодая. Я совсем немножко отогнула брезент, так чтобы никто этого рядом не видел. И то, что я увидела, я никогда не забуду. Никогда, никогда, никогда!

Когда я приподняла краешек брезента, я все забыла. Это было совершенно сказочно. Мне открылось чистое-чистое небо. Звезды. И круглая, громадная луна. Она сияла так ярко, что все было освещено вокруг. Все небо! И горы снега. Все улыбалось и играло. Нет сил описать эту нечеловеческую красоту. И нельзя забыть.

И как-то внутри меня все начинало очищаться. Даже смерть Дани отодвинулась на мгновенье. Я знала, что его уже нет, что я его больше никогда не увижу. И вопреки своему горю я чувствовала, как у меня начинала по венам пульсировать жизнь.

А кругом мертвая тишина. Только иногда было слышно, как воют волки: «Ыи-ыи...»

Не помню, сколько мы ехали. Но наконец машины остановились в небольшом селе, с настоящими бревенчатыми избами. И в каждой избе была настоящая русская печка.

Машины, в которых мы ехали, сразу ушли обратно.

Мы входили в избы, где нам предстояло провести, кажется, одну ночь.

Всем дали что-то поесть, приготовленное, и хлеба, конечно, но очень понемногу, потому что, если бы мы съели больше еды, у нас бы после голода начался заворот кишок.

Меня и еще трех-четырех молодых уложили на печке. Я быстро согрелась.

И тут вдруг я увидела кошку! Несъеденную кошку! Я как заору: «Держите ее! Товарищи, хватайте ее!» — и слетела с печки.

Я бросилась за кошкой, чтобы ее поймать. Но она, слава богу, убежала.

Хозяева с ужасом посмотрели на меня.

В этом селе мы пробыли совсем немного.

Помню, как нас собрали на деревенской площади и перед нами держал речь молодой военный, одетый в элегантную военную форму. Он произнес очень короткую речь, сказал, что «мы стараемся чем можем вам помочь».

Нам действительно стали выдавать хлеб. И конечно, больше, чем в Ленинграде.

И никто уже не умирал, и все уже были как-то спокойнее.

Мы ждали, что за нами придут вагоны, которые увезут нас.

Вскоре пришел состав и началась посадка.

У вагонов стояли военные, во всяком случае люди, одетые в военную форму, которые пропускали в вагоны по спискам, с соблюдением особой иерархии.

Первыми имели право войти те, у кого были ордена, орденоносцы. Потом — артисты Малого театра. Потом — все остальные.

Я хотела войти в вагон, но меня остановили.

В стороне, на платформе, стояли два человека средних лет — кажется, это были писатели, — которые, как я поняла, говорили обо мне. Я ждала, чтобы мне дали бумагу, что я могу ехать.

— Возьми эту женщину, — сказал один из них.

— А кто это такая?

— Как — кто такая? Это вдова Хармса.

— Кого-кого?

— Я тебе говорю: Хармса. Ты что, глухой?

— Эта женщина — вдова Хармса?! Ты мне сказки не рассказывай! Это не она. Я знал Хармса, — не может быть, чтобы она была его женой.

— Да, она жена Хармса. Ее включили в список.

— Ты уверен, что это жена Хармса?

— Конечно. Я тебе говорю — я знаю точно.

Они спорили уже несколько минут, я стояла в стороне и все слышала.

— Боже праведный! Посмотри, на что она похожа! Это ничто...

— Вот на то и похожа...

Я в самом деле выглядела фатально и была похожа на нищую, грязная, оборванная, без переднего зуба.

Тот все не верил.

— Этого не может быть, — зачем ты мне врешь?!

— Да ты что, не видишь, что она уже в таком состоянии... Тебе попадет, если ты ее не возьмешь.

— Но ты понимаешь, о ко́м мы говорим?! Я не могу брать на себя такую ответственность...

— Хорошо, я беру это на себя. Она войдет, я дам ей возможность уехать, и больше ничего меня не спрашивай, понятно? Это его вдова...

— Ну, ты отвечаешь...

И мне:

— Проходите, товарищ. Садитесь в вагон.

Я влезла на верхнюю полку.

На нижней сидела пожилая женщина, мне незнакомая.

Нам дали что-то поесть. И тут у многих началось расстройство желудка, потому что они набросились на еду. Люди умирали, потому что они начали есть.

Я сразу съела весь свой хлеб, который мне выдали. Мне стало очень плохо и с каждым часом делалось все хуже и хуже.

Поезд тронулся, и был уже в пути день, другой, третий... Меня рвало и мучила дистрофия. Я чувствовала, что иду к концу.

— Да спуститесь вниз, — уговаривала меня пожилая женщина.

Но я даже спуститься уже не могла.

Первые две категории, о которых я говорила, — орденоносцы и лучшие из лучших в Малом театре, ехавшие в этом поезде, — получили для подкрепления сил лекарство, незадолго до того открытое. Кажется, пенициллин. А мне, не принадлежавшей ни к первой, ни ко второй категории, ничего этого, конечно, не полагалось. Я погибала.

По вагонам иногда проходила медицинская сестра, которая спрашивала, что и как, нужна ли помощь. И она дошла до нас и говорила с женщиной, которая была внизу.

А мне уже было все равно. Я даже не двинулась. И не могла вставать. От дистрофии у меня начался понос.

Она спросила:

— А кто там наверху?

Я говорю:

— Я. Мне совсем плохо, но я уже ничего не могу сделать. Если вы можете чем-нибудь помочь, спасите меня. Нет так нет...

Она помолчала.

Я говорю:

— Достаньте мне вот это лекарство. Это единственное, что может поставить меня на ноги...

Она говорит:

— Нам не позволено, мы не можем вам дать его.

— Тогда, — говорю, — оставьте меня в покое.

Она говорит:

— Ой, что же мне делать? что делать?!.

И, уходя, сказала:

— Я постараюсь, гражданочка. Я постараюсь...

Я говорю:

— Спасибо.

Прошло много часов или даже день.

И она пришла снова:

— Я достала.

Я говорю:

— Неужели достали?

— Да, — говорит, — только нельзя, чтобы видели... Ничего не спрашивайте. Я сейчас вам сделаю укол, — и незаметно впрыснула мне это лекарство.

После укола она сказала:

— Это вас спасет.

Я заснула и с этого часа медленно стала поправляться.

Когда поезд пошел, уже совсем стемнело. И начались крики.

Люди вырывали куски друг у друга, чтоб что-то поесть. Бог знает что было!

На каждой станции вагон открывали, и люди могли выйти и справить нужду.

Но когда поезд опять шел, крики возобновлялись. Было слышно, как в темноте дерутся. Я только молила Бога, чтобы я могла доехать.

А много людей умирало. Тех, кто умирал, выбрасывали из вагона. Прямо на ходу. Смотрели: «Еще дышит?..» — того оставляли. А если не дышал — все! А кто такой, откуда — это никого уже не интересовало. Открывали дверь — и фить!

Я уже чувствовала себя лучше. Это лекарство мне помогло, остановило дистрофию.

Когда мы подъезжали — а ехали мы на юг, — делалось все теплее и теплее.

Поезд останавливался, и на каждой станции продавали какую-то еду.

Денег у меня не было. Но у меня с собой были валенки, почти новые, и они мне были уже не нужны, потому что было тепло. Я помню, как я их снимала с ног. И сменяла у тетки на литр молока.

Когда мы приехали, кажется, в Пятигорск, нам дали возможность выбрать, где мы хотим жить. Кто-то посоветовал мне пойти в такой-то совхоз, где я найду для себя работу.

А в поезде я подружилась с девушкой, которая училась в университете. Она была еврейка. Очень хорошенькая, красивая. Звали ее Сарра.

И мы с ней пошли в этот совхоз.

Я помню, идем мы с ней по дороге. Босиком. И вдруг я вижу — кусок белого хлеба. На земле лежит! Кто-то бросил его, или он упал...

Я схватила его и говорю:

— Это — пополам!

И еще сказала:

— Давайте загадаем желание. Чтобы все было хорошо...

И мы обе что-то загадали.

Я уже жила в совхозе, в Орджоникидзевском крае. И мне хотелось сообщить о смерти Дани Маршаку, который его хорошо знал и, по-моему, любил.

И Даня к нему очень хорошо относился, я думаю, он тоже любил его.

У меня не было с собой московского адреса Маршака, и я в начале июля сорок второго года отправила письмо Маршаку в Москву на адрес Детиздата — без всякой уверенности в том, что оно дойдет по назначению. Однако, уже в недавнее время, я узнала, что Маршак его получил.

«Дорогой Самуил Яковлевич,
вряд ли это письмо Вас найдет, но пишу Вам, несмотря на это, т. к. слишком близко с Вами была связана жизнь Дани и хочется сообщить Вам о нем. Он умер 2 февраля в больнице. Я его так и не видала. О том, что я пережила за это время, не стоит говорить. Достаточно того, что почти одновременно с ним я потеряла маму, папу и бабушку. Теперь я осталась одна на свете и приехала сюда с многими седыми волосами. Для меня в жизни утрата Дани равносильна смерти, и как я это пережила, не знаю.

Дорогой Самуил Яковлевич, Вы один из немногих людей, которые знали его так хорошо, а потому я написала Вам.

Любящая Вас

Марина Владимировна».

Когда мы пришли в ту деревню, где, как нам сказали, можно найти работу, Сарра попала в дом, где уже жили евреи, тоже эвакуированные, довольно пожилые люди, очень симпатичные. А я остановилась в доме, где была отдельная комната, в которой я могла жить.

С Саррой мы виделись каждый день, и обе сразу устроились на работу. Мы ухаживали в совхозе за коровами, за лошадьми. И что-то там за эту работу получали.

Прошло немного времени, и мы узнали, что немцы уже очень близко отсюда. Ясно было, что они вот-вот войдут в эту деревню.

Мы остались. Я уже не представляла себе, куда можно бежать, и я еще не пришла в себя после блокады.

Сарра тоже осталась вместе с этой еврейской семьей.

Вошли немцы. И заняли деревню. Они были как-то странно благодушно и весело настроены — никто же им не оказывал никакого сопротивления.

Стали располагаться в домах, искали, где будут жить.

Там, где я жила, мы на ночь закрывались с моей приятельницей, молодой женщиной.

Вдруг ночью раздался стук в дверь.

Она сказала:

— Надо открыть.

Я говорю:

— Я не хочу открывать.

— Нет, — говорит, — лучше открыть.

И мы открыли. На пороге стоял немец огромного роста, небывало красивый. И кто-то за ним. Я таких мужчин никогда в жизни не видела... Лощеный, в полной форме. Наверное, офицер. Он искал место для своих солдат, для постоя. Очень вежливо:

— Разрешите войти?.. Можно ли тут у вас разместиться?

Мы с приятельницей говорим:

— Тут одни женщины. Вот нас уже двое...

И они ушли.

Минула неделя-другая, и прошел слух, что ищут евреев. Они выдергивали их из домов, определяли по лицу, по фамилиям... Всех евреев собрали и заставили рыть ров. Только евреев.

И скоро, в ту же ночь, стало ясно, что они копали этот ров для себя.

Я помню еврейскую семью из трех человек: отец, мать и девочка. Они бежали откуда-то, куда пришли немцы, и вот остались здесь... Я не помню, сколько эвакуированных евреев было в этом совхозе, — может быть, десять, двадцать человек, а может, больше. Кое-кто до прихода немцев все-таки успел уйти.

Но всю ночь мы слышали: пах-пах-пах! пах-пах-пах!.. И конечно, не спали.

Когда раздались эти звуки, выстрелы, я говорю хозяйке:

— Что это? Кого-то убивают?

— А, — говорит, — чай, не наших... Это которы таки черненьки, молоденьки, красивеньки... Ай-ай, бедные!

Картину, которую я увидела на следующий день, я никогда не забуду. Никогда! Никогда! Они расстреляли всех евреев! И эту молодую, полную жизни девушку, Сарру.

Немцы в этой деревне менялись: одни части уходили, другие приходили. Новые были гораздо мягче, уже не было того ужаса, который устроили первые вошедшие в деревню.

Я никуда не бежала, жила там же, у меня и сил-то не хватило бы на побег, я очень устала.

Однажды я шла по улице, и навстречу мне шли немцы, военные.

— Одну минуточку, — щелк каблуками и руку к козырьку.

Останавливает меня и забирает.

Я говорю:

— Куда вы меня ведете?!.

Но по-немецки я не говорила и плохо понимала.

Он привел меня к своему начальнику. Начальник был со мной любезен и общался со мной через своего помощника. Меня допрашивал помощник, приятный мужчина, хорошо одетый. Я поняла, что он из белых офицеров. Так я думаю — может быть, ошибаюсь. В нем чувствовалась ненависть к большевикам, вообще к советской власти.

Он меня допрашивал, из какой я семьи, кто мои родители, откуда я...

И потом сказал:

— Вас больше не будут беспокоить, вы можете оставаться здесь сколько хотите...

Я продолжала там жить, и был случай, что меня даже пригласили на какой-то их вечер. Но я еле говорила по-немецки и почти ничего не понимала из того, что говорят.

Через какое-то время я узнала, что наши войска очень приблизились и могут скоро войти в эту деревню.

Немцам нужно было уходить. Меня забрали и заставили работать в походной кухне. Я должна была помогать там готовить еду. Что я могла сделать? Сопротивляться? Меня посадили на машину и повезли.

Ехали мы довольно долго, всю ночь. И приехали в город, который тоже был захвачен немцами.

Там они отбирали рабочую силу в Германию, главным образом молодых людей. Я не сопротивлялась. Я подумала: «Жить в России я больше не хочу...» На меня нахлынула страшная ненависть к русским, ко всему советскому. Вся моя жизнь была скомкана, растоптана. Мне надоело это русское хамье, попрание человека. И я сказала себе: «Все равно как будет, так будет...»

С о мной вместе была одна молодая женщина, простая русская деревенская женщина, чистой души и очень симпатичная. Высокая-высокая, пышущая здоровьем, круглолицая, с ясными глазами. Она меня звала Манечка и относилась ко мне, можно сказать, с большим уважением и нежностью.

Я говорила ей, — мы всем делились:

— Ешьте, пожалуйста.

Она:

— Нет, Манечка, ешьте вы сначала, а потом я.

Она очень привязалась ко мне и мне доверяла.

Уже многих отправили на работу в Германию. И нас тоже посадили в вагон. Совсем недалеко проходила линия фронта.

Я помню чувство, с каким покидала родину. Я думала: «Вот я уезжаю, это моя родина. Но после того, что я здесь перенесла, после того, что они сделали с моей жизнью, с жизнью Дани, — я их проклинаю. От боли, от того, как они обошлись со всей нашей жизнью, с моим мужем...»

Я помню это чувство, я бы и сейчас их не простила.

Я бы ни за что не уехала из России, если бы мне не сказали, что он умер. Если бы не захлопнули тюремное окошко и не выбросили этот пакетик. Я бы никогда не оставила его там одного. Я только мечтала, чтобы его выпустили и мы бы снова жили вместе.

Когда мы вышли из поезда, нас развели по хозяевам.

Кто-то узнал, что я говорю по-французски, и меня определили в дом к какому-то высокопоставленному чину. Сейчас же дали поесть. И началась совершенно новая моя жизнь.

В этом доме я пробыла недолго. Вскоре меня подарили другому хозяину, — вернее, хозяйке, у которой я должна была делать все: и на кухне, и уборку...

Ее дом был недалеко от Берлина, в Потсдаме.

Это была громадного роста тетка, грубая, страшно властная, с вечно красным лицом, которое все шло пятнами.

Она владела винными погребами. Я не видела ее пьяной, но думаю, что она пила.

Мужа у нее не было. Он то ли уже умер, то ли был на войне. А жила она с дочкой, девушкой, такой же властной, как сама, которая, однако, боялась матери, и сыном, подростком лет четырнадцати-пятнадцати. Он еще учился в школе.

У меня была в доме комната, маленькая, для прислуги. В ней хорошая кровать, стол, все чисто, аккуратно.

По-немецки я не понимала. Но вся атмосфера дома была жуткая, давящая. Я молча исполняла всю свою работу.

Однажды я стала свидетельницей страшной сцены.

Сын, мальчик, кажется, не приготовил уроки или выучил не то, что задали, — я уж не знаю, чем он провинился. Только я видела, что мать бросилась на него, а он побежал вокруг стола — у них в столовой был большой круглый стол, — и в руках у нее что-то тяжелое, она гонится за ним, в ярости у нее ходят желваки, а он убегает, кричит: «Дас ист генук, мутер!» «Хватит! Хватит!..» А она: «Я тебе покажу! я тебя научу!..» И еще, и еще...

Я как это увидела, на меня напал такой ужас, что я решила повеситься.

В моей комнате, на потолке, был огромный крюк. Я убежала к себе в комнату и боялась из нее выйти.

Я сидела и смотрела на этот крюк и думала: «Все, я больше не могу, я повешусь, и кончатся мои мучения...»

Но ко мне пришла эта моя знакомая, деревенская женщина, с которой мы вместе ехали. Она каждое воскресенье приходила ко мне в гости.

И я говорю ей:

— Я тебе должна сказать — я больше не могу! Я хочу покончить с собой...

Она:

— Манечка, что такое?! Что вы говорите! Вы такая чу́дная, такая красивая... Манечка, не говорите так...

Она очень испугалась:

— Это грех, грех, не делайте этого!

Она встала передо мной на колени и все говорила:

— Нельзя, нельзя! Ну пожалуйста, не надо, Манечка! Не надо!..

Она так зудила, зудила, зудила, что я не повесилась.

Если б не она, я бы не остановилась, потому что я уже дошла до края.

Однажды я что-то делала по хозяйству и порезала себе палец. Я перевязала его, но пользоваться рукой уже так свободно не могла.

А мне предстояло мыть в доме окна.

Я говорю хозяйке:

— Мне очень больно, я не могу сейчас мыть окна.

Она зло посмотрела на меня, будто я была виновата в том, что порезала палец, и сказала:

— Ничего — вымоешь! И это, и следующее...

И я сказала:

— Яволь[1].

Два раза в месяц, каждое второе воскресенье, нам разрешалось выйти из дома и гулять в городском парке, где очень красиво, дворцы и все прибрано.

Мы были все соответствующе одеты, в пакостную униформу, кто в красном, кто в синем. И на рукаве у меня был знак, повязка, что я русская. Кажется, желтого цвета.

И как-то раз я гуляла в этом большом парке, ходила взад-вперед. А на скамейке сидел пожилой человек интеллигентного вида. Он смотрел, смотрел на меня, и я заметила, что он провожает меня глазами.

Когда я еще раз прошла мимо него, он предложил мне сесть рядом:

— Зетцен зи зих.

«Садитесь». Я села на скамейку. И мы разговорились.

Оказалось, что этот пожилой человек, немец, жил когда-то в России, в царской России, и преподавал в Петербургском университете. Не то математику, не то физику — не помню. И он влюбился во француженку, мадемуазель, которая тоже приехала в Россию и служила в каком-то доме. Они поженились, и он до

[1] Здесь: слушаюсь *(нем.)*.

того, как все развалилось, жил в Петербурге, а потом вернулся в Германию. Он очень любил русских и, конечно, ненавидел большевиков.

Он расспросил меня, кто я и что я. Я ему рассказала. И он мне сказал:

— Я смотрю на вас, и мне так тяжело на душе! Ужасно, что вам приходится делать то, что вы сейчас делаете... Хоть это моя страна, мне стыдно за нее... Это все ужасно, ужасно!..

Когда я заговорила, он, конечно, понял, что я раньше не занималась тем, что мыла с утра до вечера полы.

И он сказал:

— Я постараюсь вам помочь.

Я говорю:

— Чем и как вы мне можете помочь? Разве это возможно?

Он говорит:

— Я сделаю все возможное, чтобы облегчить вашу участь, чтобы вам дали какую-нибудь другую работу... Я был счастлив в России, и я не могу видеть, чтобы вы, молодая женщина, так страдали...

С тех пор мы с ним там виделись, когда меня отпускали на весь день. У меня с собой был бутерброд, но снять проклятую униформу я не могла, не имела права. И без этого знака на рукаве тоже нельзя было ходить.

Этот господин мне сказал:

— Я подумаю, посоветуюсь с моей женой, что можно сделать.

И потом:

— Я хочу поговорить с вашей хозяйкой, у которой вы работаете. Я объясню ей, кто вы, — чтобы она поняла, что вы не кухарка и не поломойка.

Ну, я отнеслась к этому скептически. Говорю:

— Приходите. Пожалуйста. Но я мало верю в успех.

Он познакомил меня со своей женой, тоже пожилой дамой, и они мне сказали, что они должны действовать очень осторожно, поскольку он женат на француженке, а немцы, как известно, терпеть не могут французов, и, наоборот, французы терпеть не могут немцев.

Я дала ему адрес, где я работаю; кажется, я предупредила хозяйку, что он придет, и в какой-то день, когда я должна была оставаться в доме, он действительно пришел.

Я открыла ему дверь. Хозяйка стояла наверху, на лестнице. Он снял шляпу, сказал хозяйке, что хочет с ней поговорить. И она бросила мне, чтобы я убиралась вон. Так что он увидел, как она меня третировала.

Она провела его в комнату. Они поговорили — видимо, довольно холодно. И я поняла, что ей очень не понравилось, что он, немец, пришел за меня хлопотать. На прощанье он поцеловал ей руку, злой, уродливой, и ушел. Со мной он не попрощался.

По-видимому, он сказал ей: «Облегчите этой даме работу — она по происхождению не кухарка и не посудомойка, а из аристократического рода. Но вот так случилось, что она попала в Германию...»

Но моя хозяйка была как камень, — визит этого господина не заставил ее смягчиться, а, по-моему, еще больше ожесточил.

Однако через два дня она мне вдруг сказала:

— Меня вызывают, чтобы я пришла с вами... Будьте готовы, мы поедем туда-то и туда-то.

Мне это что-то не понравилось. Я ничего хорошего не ждала.

В назначенный день мы поехали в какое-то управление, тоже в Потсдаме. Оно помещалось в громадном здании наподобие тюрьмы.

Внизу нас встретил какой-то человек. Мою хозяйку он оставил в приемной, сказал, что она не может пройти туда, куда он идет со мной. И повел меня вверх, как мне показалось, по особенной лестнице.

Он ввел меня в небольшую комнату, где сидел приличного вида господин. И видимо, сказал ему, чтобы он поговорил со мной и проверил, кто я и что я. Это я потом про себя додумала.

Кое-что я понимаю по-немецки. Это был какой-то аристократ, «фон», — приставки-то я знаю.

Оказалось, что он переводчик, прекрасно говорит по-русски, и он переводил этому человеку, который меня привел, все мои ответы.

Он спросил мое имя, фамилию, откуда я и так далее. И всякий раз поворачивался к этому человеку: «Этот господин спрашивает то-то и то-то...»

Не помню, что еще его интересовало, когда неожиданно он стал меня спрашивать, кого персонально из русской аристократии я знаю, о роде Голицыных и других. Он называл какую-нибудь известную фамилию и спрашивал меня: «А не слышали ли вы о таком-то или такой-то?..» — «Да, конечно, — говорила я, — потому что он муж или жена такой-то или такого-то...»

Словом, он, видимо, хотел убедиться, что я не обманываю, выдавая себя за ту, кем я не была.

Когда немец, сопровождавший меня наверх, возвращался со мной к моей хозяйке, он был со мной уже любезнее.

Хозяйка же была удивлена, что меня вызывали, и по дороге допытывалась, о чем меня там спрашивали.

Однако должна сказать, что этот господин ничего особенного для меня не добился, и я как мыла полы, так и продолжала по-прежнему мыть и весь день работать на хозяйку.

А хозяйка еще больше разозлилась, стала еще свирепее. Она даже запретила мне по воскресеньям ходить в городской парк.

Все же меня забрали к другой хозяйке. Это была совсем простая женщина, не богатая, как та, противная.

У нее было двое детей, две девочки: одна — еще грудная, другая — маленькая.

Не знаю, где был ее муж. Может быть, на фронте. Эта женщина страдала туберкулезом, и ей трудно было ухаживать за двумя детьми. Я должна была ей помогать.

К тому времени положение немцев на фронте стало намного хуже. Союзники вовсю бомбили Берлин.

И когда начинался налет, надо было спускаться в бомбоубежище, в подвал. Моя новая хозяйка брала детей, грудную девочку несла на руках, а за руку держала маленькую, и спускалась в подвал. Я тоже спускалась с ними.

Но неподалеку от дома было устроено большое бомбоубежище, которое как гора возвышалось над землей. Туда пускали всех. И кстати, оно было очень близко от дворца.

И однажды, когда по радио предупредили о налете авиации, хозяйка сказала мне: «Я думаю, надо пойти в то бомбоубежище».

Люди бегом бежали туда. Громадная железная дверь бомбоубежища была открыта настежь.

Моя хозяйка шла еле-еле, она была очень слаба. Грудную девочку она держала на руках, а я вела за руку другую и еще несла всякую детскую одежду для смены. Нас со всех сторон толкали, потому что все спешили поскорее попасть в убежище. Кричали: «Начинается! Начинается!»

Едва мы вошли, как раздался оглушительный взрыв. Толстенную железную дверь в убежище всю разворотило. Многие побежали вглубь. Люди плакали, кричали, молились. Это был сущий ад.

А я встала и помолилась. Я сказала про себя: «Господи, прости меня за все. Но я больше никуда не пойду, я останусь здесь».

Пока была бомбежка, я стояла как вкопанная. Небо было совершенно черное от самолетов.

И объявили, что это была только репетиция налета, что еще будет три бомбежки подряд и они будут продолжаться до тех пор, пока союзникам не передадут ключи от Берлина.

Мы пришли из бомбоубежища, и, конечно, в эту ночь никто уже не спал. А на следующий день рано утром моя хозяйка сказала, что она возьмет детей и поедет к своей сестре в Берлин, вернется через день и чтобы я оставалась в квартире.

Как только она вышла — я уже не помню, сколько я ждала, чтобы быть уверенной, что она не возвращается вдруг за чем-то, — как только я осталась одна, я сказала себе: «Что мне делать? Надо бежать. Этому не будет конца».

А надо сказать, что, когда меня отпускали по воскресеньям на весь день, я познакомилась в парке с двумя молодыми мальчиками, французами. Один был уродлив как не знаю кто, а другой — очаровательный. Обоих пригнали из Франции, и они тоже были у кого-то в работниках.

Каждое воскресенье я с ними виделась. И мы сговорились, что, если что случится, мы встретимся здесь, в этом парке. И если я решу бежать, они мне помогут.

Но тут было уже не до встреч. Голова у меня шла кругом. Я быстро собрала маленький рюкзачок, в котором самым тяжелым была наша с Даней русская Библия, взяла минимум вещей. И все ненужные бумажки кинула в печку, сунула туда, запихнула. И скорей выбежала вон.

Я заранее обдумала, что в случае побега я прежде всего пойду к тому пожилому немцу, который когда-то жил в России, и его жене-француженке. Когда я виделась с ними, я говорила с ней о том, что же мне дальше делать. И она мне сказала: «Не возвращаться в Россию. Ты, — сказала она, — очень хорошо говоришь по-французски, и тебе будет легко жить во Франции, тем более что там у тебя есть родственники, ты встретишься с ними, на первых порах поживешь у них... Но я тебе советую от чистого сердца: в Россию не возвращайся. Потому что я вижу, Марина, какая ты, и то, что происходит сейчас у вас, — это не жизнь для тебя».

Я подумала, подумала и сказала себе: «Хорошо. Наверное, она права».

Она мне еще сказала: «Если тебе когда-нибудь понадобится наша помощь, приходи к нам и мы тебя примем. Сколько-то ты пробудешь у нас, мы все вместе подумаем, как тебе помочь, как добраться до Парижа...»

Она мне рассказала, как разыскать их дом, объяснила дорогу — надо было пройти весь этот гигантский парк при дворце, а потом за парком уже было легко их найти.

Я бежала через весь парк, искала глазами мальчиков, но нигде их не было. Но мне уже было не до поисков. Надо было бежать, бежать, бежать, пока меня не хватились.

Ужас что было с моими ногами. Туфли были не туфли, подошвы оторвались, я бежала почти босиком. Слава богу, что уже было близко лето. Потом уже мне дали совет опустить ноги в горячую воду с солью.

Я изнемогала, силы были на исходе.

Как только я переступила порог, дверь открылась, выскочила француженка и сказала:

— Кто-то на тебя донес! Тут уже были военные и спрашивали о тебе. Они искали тебя в нашем доме. Как они узнали наш адрес? Что ты такое сделала?

— Боже мой! Я забыла сжечь бумаги! Письма, адреса. Бросила в печку и убежала.

— Марина, я не могу тебя пустить. Они вот-вот придут снова.

Я сказала:

— Куда же мне теперь идти? Они же меня найдут!

Француженка сказала:

— Христос с тобой! Ты спасешься. Но я не могу тебя принять. Я уверена, ты благополучно пройдешь через этот ужас, в котором мы все сейчас пребываем...

Я сказала:

— Да, но куда я сейчас пойду?

— Иди так-то и так-то, — сказала француженка. — Там почти рядом будет лагерь для французов. Ты в нем укроешься.

И я снова бросилась бежать. Я бежала и думала: «Как я войду в этот лагерь? Кто меня туда пустит?!»

Пока я бежала, по радио объявили, что сейчас начнется налет и чтобы все шли в бомбоубежище.

Наконец я увидела этот лагерь и крепко, крепко помолилась: «Господи, помоги мне укрыться! Спаси меня!»

Ворота лагеря оказались открыты настежь. Уже повсюду разносилось это страшное ж-ж-ж! И как посыпало! посыпало! посыпало с неба! Я бежала как сумасшедшая. И влетела в самый первый дом.

К моему удивлению, никого там не было, ни одного человека.

Все ушли в бомбоубежище.

Я попала в барак, где спят. Койки там шли в два или три этажа — не помню, одна над другой. Я забралась на самый верх и притаилась. Я только молила Бога, чтобы Он помог мне спастись.

Когда бомбежка кончилась, все стали возвращаться. Меня пока никто не видел.

Женщин, как я узнала потом, в этом лагере почти не было. Немного проституток. А так — все мужчины.

Они ругались худыми словами. «Merde, merde». ⟨«Дерьмо, дерьмо».⟩

Вдруг один сказал:

— Да тут никак кто-то есть! Кто-то сюда влез!

И мне:

— Эй, там наверху, а ну-ка, слезай!

Я слезла.

Когда они увидели, что это девушка, они засмеялись и сказали:

— Ну ладно. Лезь обратно...

Уже не помню, каким образом меня в этом лагере нашли те два мальчика, французы. Они были очень верующие. Они еще раньше мне говорили: «Не беспокойся, мы тебя всегда найдем. Клянемся Богом, что, когда все кончится, мы тебя довезем до Парижа».

И оба приятеля меня, значит, нашли там. Один, повторяю, был ужасно некрасивый, а другой — прелестный; видно было, что из хорошей семьи, не мог, наверное, избежать облавы, и его услали из Франции.

Он меня спросил:

— Что ты взяла с собой? что у тебя тут есть?

Я говорю:

— Вот — Библия на русском.

— Давай ее сейчас же! Если ее найдут, у тебя могут быть большие неприятности... Тут наш кюре, мы ему отнесем ее.

Они пошли к своему священнику, французу, который жил тут же, в лагере, и сказали ему, что здесь находится их знакомая, русская девушка, у которой с собой Библия на русском, и они просят его спрятать ее. «Она очень хорошо говорит по-французски и не собирается возвращаться в Россию, и мы просим, чтобы вы помогли нам в этом святом деле». Священник им сказал: «Так как вы оказываете человеческую помощь, Господь Бог вам поможет. Принесите мне эту Библию, и где бы эта девушка ни была, я ее разыщу потом и верну ей ее Библию». А мальчикам сказал еще: «Помолитесь» — и перекрестил их.

Мальчики взяли у меня Библию и отнесли священнику, у которого, конечно, никто ничего не искал. Он был вне подозрений.

Вскоре мы узнали, что война закончилась.

Я все время не расставалась с этими мальчиками, мы все трое держались вместе.

Каждый день, каждое утро в лагере вывешивались большие объявления, на которых было написано, что нашли такого-то и такого-то, которые не были французами, и их выставили за пределы лагеря. В этом лагере было несколько тысяч человек — я уже не знаю сколько, — но только французов. Не-французов, если их находили, сразу выкидывали.

Наконец наступил день, когда стали выпускать из лагеря.

Но перед этим был обход, нас предупредили, что будет выпускать специальная комиссия и чтобы мы подготовились. У меня не было никаких документов. И боже сохрани, чтобы у меня вырвалось какое-нибудь русское слово, — я говорила только по-французски.

Мальчики сказали:

— Сделаем так. Я буду идти впереди, первый. Ты за мной. А он за тобой, сзади.

Значит, я шла между ними. Я очень волновалась, думала, упаду от страха.

Мы должны были серьезно подготовиться к вопросам комиссии. Поскольку я никогда не была во Франции, я ничего не знала и не могла придумать, а надо было сообщить комиссии свою фамилию, имя, свой прежний французский адрес, назвать родителей и других родственников, где они живут и так далее, и я ужасно дрожала. Если бы я ошиблась, меня бы сразу выбросили. И надо было указать какое-нибудь место, которое было разрушено, чтобы нельзя было проверить то, что я говорю. Мальчики помогли мне сочинить все это, придумали мне фамилию, имя, место, где я жила, и прочее, прочее. Я уже была не Марина и, конечно, не Малич.

Комиссия заседала на улице. Было уже тепло. За большим столом сидели военные, представители союзников: американцы, англичане, русские и французы, у каждого представителя был свой секретарь, вернее, секретарши, переводчики. И за ними стояли пять или больше человек с оружием.

Девушка, секретарша представителя русской зоны, которая все записывала, была очень красивая, с большими синими глазами, и все мужчины на нее смотрели, можно сказать, были ею очарованы.

Подошла моя очередь.

— Одну минуточку, — говорит мне француз, французский представитель.

Эта девушка повернулась к молодому человеку, который не сводил с нее глаз, и попросила, кажется, закурить.

А сзади следующий француз, который стоял за вторым мальчиком, уже спрашивал: «Что, очередь двигается или не двигается?» Все очень нервничали.

Меня спросили, как меня зовут и мою фамилию. Я сказала.

— Имя ваших родителей?

Я заранее все это приготовила. Заучила. Был еще один вопрос. И, в общем, я ответила на все вопросы.

Я старалась быть совершенно спокойной, только про себя молилась. И поскольку я довольно хорошо говорила по-французски, ни у кого не было сомнения, что я француженка и что я не та, за кого себя выдаю, ни малейшего сомнения.

Но все у меня тряслось внутри. И подкашивались ноги. Я буквально падала.

Я сказала мальчикам:

— Ради бога, вытащите меня подальше отсюда.

Мальчики подхватили меня с двух сторон и шептали мне:

— Держись! На тебя смотрят...

И с шутками, делая вид, что смеемся, поволокли меня в сторону пруда, который был недалеко. Я еле дошла туда и просто рухнула.

Но я была бешеная от счастья. Там был холм высотой метров пять. И я кувырком с него скатилась. Встала и помахала мальчикам рукой. Они были белые от страха.

Всех, кого освободили из лагеря, посадили на поезд и повезли в Париж.

В Париж мы приехали днем, часов в двенадцать.

Мальчики, которые помогли мне освободиться, разбежались по домам.

А я попросила тех, кто нас сопровождал, свести меня с военными в парижской комендатуре.

Когда я там оказалась, военного, который был мне нужен, еще не было.

— Он еще, кажется, не пришел, — сказал какой-то младший чин. — Подождите, пожалуйста, — и с любопытством посмотрел на меня. — А вы по какому делу?

Я говорю:

— Мне нужно сказать ему что-то очень важное для меня... Я подожду.

Лицо у меня было измученное, и он больше ни о чем меня не спросил.

Пришел молодой человек в военной форме:

— Я вас слушаю. Чем могу служить?

Я говорю:

— Все мои документы неверны. У меня другое имя и другая фамилия.

— То есть как?!

— Вот так. Я прошу вас, чтобы вы мне помогли. Я хочу остаться во Франции и жить здесь. После того, что они сделали с моим мужем, со всей нашей семьей, я туда никогда и ни за что не вернусь и готова жить тут хоть на мостовой.

Он сказал, что не может решить мой вопрос и что со мной должен побеседовать кто-то повыше.

Этот более высокий чин пришел, и я повторила ему все про свои документы и изложила свою просьбу.

Я сказала:

— Я не хочу вас обманывать — я не француженка. Но я никогда, после того, что они сделали с нашей семьей, не вернусь в Советскую Россию.

Он был очень удивлен, просто шокирован:

— Как, каким образом все это произошло? Как вы оказались с другой фамилией?

Я сказала:

— Я готова все рассказать, все от начала до конца, — как я попала во французский лагерь и вышла из него, я ничего не скрываю. Только дайте мне документы, чтобы я могла остаться во Франции и жить под своей фамилией.

Он сказал:

— Все это очень прискорбно. Я вас глубоко благодарю за то, что вы честно во всем признались, честно рассказали, кто вы и что вы. Но пока будут оформляться ваши документы, я вынужден вас отправить в лагерь для перемещенных лиц.

Он обещал мне дать знать, когда будет решено мое дело.

Меня и еще кого-то посадили в черный фургон и отвезли в лагерь, тут же в Париже, в котором были люди такой же неопределенной судьбы, как у меня. Русских было очень мало.

Я попала в огромную комнату, половина которой была уже занята. Все сидели на полу. Условия были отвратительные.

У меня прекратились менструации, я себя чувствовала очень плохо. Но еще хуже стало, когда они возобновились. У меня не было ни ваты, ни тряпки, ничего. Я что-то сняла с себя и разорвала на тряпки, потому что ничего другого не было и взять было неоткуда.

Вместе с нами находились проститутки, которые, узнав, что я француженка, стали приставать ко мне с вопросами: «Как идут дела? Что собираешься делать?..»

И когда я ответила что-то вполне корректное, посмотрели на меня странно: что за девица такая? — и больше не стали со мной разговаривать, только поглядывали косо.

Нам дали есть в мисках, к которым были привязаны ложки, чтобы их не украли.

Я спала, как все, на голом полу. Без одеяла, без подушки. Так я провела два или три дня.

А потом меня вызвали и сказали:

— За вами прийти. Ваш молодой человек...

Мы заранее договорились, что он так будет говорить.

Пришли эти мальчики. Они были очень горды, что им удалось вызволить меня из того лагеря, в Германии, и чувствовали себя почти героями.

Тот из мальчиков, который был некрасивый, рабочего вида, безумно в меня влюбился и смотрел на меня прямо-таки молитвенно. Как на ангела, только без крыльев. Он готов был для меня на все. «Хотите это? и это хотите? — я принесу, не волнуйтесь...» Он был, что называется, золотая душа. А мне нравился другой, более интеллигентный.

Одним словом, хотя у меня на руках еще не было новых документов, меня выпустили.

Мальчики, конечно, пригласили меня к себе, и я ночь или две проночевала у них, пока не нашли в Париже моих родственников.

Тот, который был некрасивый, хотел представить меня своим родителям. А я так ошалела от счастья, что наконец свободна, что, когда пришли к нему домой, произвела на мать чрезвычайно странное впечатление. И я заметила, что она смотрит на меня с ужасом.

Этот мальчик спросил меня:

— Марина, не хотите ли немножко вина?

Я говорю:

— С удовольствием.

Его мать тяжело вздохнула и, наверное, подумала, что я опупела.

А этот молодой человек смотрел на меня прямо-таки с обожанием. Он был молод, но у него, кажется, уже был ребенок.

Я выпила два бокала вина. И он, перехватив взгляд матери, сказал:

— Марина — это что-то необыкновенное. Ты, мама, не можешь себе представить, через что она прошла!

Он восторгался мной, а она только хотела, чтобы я поскорей убралась из их дома.

Мне предстояло встретиться с моей матерью. Она жила со своим мужем на юге, в Ницце, куда можно было доплыть на пароходе из Парижа.

Ее мужем, как я потом узнала, был Миша Вышеславцев. До нашей встречи я ничего о нем не слышала. И разумеется, не подозревала, что предстоящая встреча как-то повернет мою судьбу.

Но я точно знала, что́ будет, и была совершенно спокойна.

Пароход подходил, подходил к берегу, и я не испытывала никакого волнения. Я только чувствовала, что что-то случится, — и равнодушно ожидала эту встречу.

Помню, ко мне нагнулся сопровождавший меня и сказал:

— Ваша мать внизу... вон там.

А на берегу творилось немыслимое. Шум, суета. Собрались эмигранты. Бегали журналисты, фоторепортеры. И я видела, как они готовятся к нашей встрече.

А я была как-то цинично равнодушна. Цинична — вот точное слово для моих ощущений, когда я спускалась по трапу.

Я подошла к матери с ее мужем, он меня подвел. Она была очень маленького роста, еще меньше меня.

И вдруг она — раз! — и потеряла сознание. А меня это ничуть не тронуло. Я сказала ее мужу:

— Ольга, — ее звали Ольга, — видно, переволновалась. Но сейчас все пройдет...

И официанту:

— Подайте этой даме воды, — не помню уже, что́ я попросила.

А ее уже держали под руки, потому что она бы упала. И конечно, журналисты только и ждали этого момента, когда — такое событие! — мы окажемся рядом друг с другом. И потом они писали об этом во всех газетах. Подумать только: спустя десятилетия!

мать впервые! встречается с дочерью, которая спаслась сначала из Советской России, а потом — из немецкого плена!

Я смотрела на нее с любопытством, и у меня не было никаких чувств. Смотрела как бы со стороны, — как будто это не со мной происходило.

И мы пошли к ним домой. Мне была отведена комната, очень красивая. В ней на столе стоял букет с какими-то дивными розовыми цветами.

Я взглянула на этот букет и сама себе сказала: «В общем, на чёрта мне нужна вся эта история!.. Не трогает она меня нисколько».

А в это время, пока я осматривала комнату, моя мать сцепилась с мужем, и я слышала ее крики, брань.

Но я все это пережидала абсолютно спокойно, умывая руки. Это я хорошо помню.

Я не собираюсь расписывать свой роман с Мишей Вышеславцевым. Тут занавес закрывается.

Скажу только, что у нас с ним была огромная разница — в двадцать пять лет. И я думаю, она в дальнейшем сыграла роковую роль...

Вскоре после рождения нашего маленького сына Мити — он родился в Ницце — я уехала в Париж и поселилась у своей тетки, сестры матери, Лизы.

К моей матери, которая меня родила, у меня не было никаких чувств, потому что я ее не знала. Для меня это был совершенно посторонний человек. Она была моей матерью только по названию, я никогда не звала ее «мама». Только она меня родила — она тут же меня бросила.

Когда я была маленькая, она иногда приезжала из Москвы к бабушке. Жила она в Москве и была замужем за сыном какого-то очень известного генерала.

Приезжая, она останавливалась у нас. Ее муж, поляк, меня нежно ненавидел. Я помню, он сидел в большом, красивом кабинете дедушки, нога на ногу, курил. А мне было очень интересно посмотреть, кто он, какой, что делает, и я с детским любопытством проникала в кабинет.

Он был кокаинист, вместе с матерью уехал за границу, в Швейцарию, но по дороге женился, и я слышала, что однажды он в ночь уехал — и исчез.

Когда началась вся эта драма с ее мужем, Вышеславцевым, она хотела пойти к советским, чтобы они меня взяли и выслали, отдать им и так от меня избавиться. Но там был священник, несколько, правда, странный, который ее удержал, не пустил.

На меня это не произвело никакого впечатления, у меня не было к ней каких-либо чувств, тем более страха.

Миша Вышеславцев должен был приехать в Париж, и мы вместе с моей теткой Лизой пошли встречать его. Но не встретили и вернулись домой.

Я была очень расстроена, потому что страшно хотела, чтобы он приехал, ждала его. Мне хотелось вместе с ним забыть о всех неприятностях, отгородиться от тетки, которая меня донимала своими попреками.

Мы уже поднялись наверх, тетка поставила чайник — вдруг слышу звонок в дверь.

Я говорю Мите:

— Это папа!

Тетка на меня:

— Ты что, с ума сошла! Никого нет. Тебе уже мерещится...

Я говорю:

— Это он!

Тетка не успела меня сцапать, я выбежала из квартиры и мигом спустилась на лифте на первый этаж. Двери лифта раскрылись — он уже стоял с двумя огромными чемоданами.

Я разревелась. От ожидания, от напряжения, оттого, что минуту назад разругалась с Лизой, которая стояла у меня уже поперек горла.

Мы поднялись. Миша стал открывать чемоданы, доставать подарки.

Мне он подарил норковое пальто. Никогда в жизни у меня не было ничего подобного.

— Померь. Я думаю, оно тебе подойдет...

И оно мне было в самый раз!

Перчатки, шарф, платья, жакеты — все-все было точно на меня и очень красивое.

Я раскладывала Мишины подарки, а тетка была очень недовольна. Она же была за мать, свою сестру. И все говорила Мише:

— Ну что ты к ней пристал! — ко мне, значит. — Оставь ее в покое. Пусть себе живет как хочет. При чем здесь ты?

Мне у нее было невыносимо тошно, но мне некуда было деться. Я почти не могла выходить на улицу. У меня же не было французского паспорта. А без паспорта и устроиться на работу нельзя было.

И я прожила в ее доме два года.

Но вот кто был потрясающим человеком — это моя бабка, цыганка, бабушка по матери. Дочери ее тоже взяли к себе за границу. Она умерла вскоре после войны. Я была уже во Франции, но ее не знала.

Бабка была очень талантливая певица, но почти что неграмотная. Фамилия ее была Малич. До глубокой старости у нее сохранялся чистый-чистый голос. Говорят, он был такой, как у девушки шестнадцати лет.

Конечно, она уже не выступала — была слишком стара.

Однажды моя тетка Лиза, модельерша, возвращалась с работы и увидела около своего дома, который купила в лучшем районе Парижа, небольшую толпу, человек восемь-десять. У нее ёкнуло сердце, и она спросила:

— В чем дело? Что случилось? Почему тут собрались люди?

Ей отвечали:

— В этом доме живет женщина, которая дивно поет, — мы заслушались. Это что-то невероятное.

Окна были настежь, лето.

Тетка поняла, что мать, которая давно уже не вставала с постели, видимо, села и запела.

— Это моя мать, — сказала она. — Она певица.

— Да?! Мы так и думали. Это неземной голос! Мы стоим и ждем, когда она будет петь еще.

Люди толпились у подъезда и не расходились.

— Так дайте же мне пройти. Я здесь живу, — сказала тетка и стала подниматься наверх.

Она поднялась к себе, кажется на четвертый этаж, открыла дверь — бабушка лежала на постели мертвая.

Я уехала в Венесуэлу раньше. Вышеславцев приехал позднее, что-то через полгода наверное. Тогда многие из Франции эмигрировали в Венесуэлу. Другие страны уже не принимали эмигрантов, а Венесуэла принимала, даже приглашала людей в страну.

Еще живя в Париже, я не раз слышала от всех русских: «Хорошо бы Марину познакомить с Юрой Дурново», «Марина должна увидеть Юрку Дурново»... Но кто такой этот Юрка Дурново, я не знала и, по правде говоря, не интересовалась. Слышала, что он таксист, прекрасный таксист; что, когда у него заводятся деньги, он зовет своих друзей в ночные рестораны и они там кутят, пока деньги не кончаются. А когда нет у него денег — его приглашают и за него платят. Вот и все, больше ничего я о нем не знала и в Париже никогда не встречала.

Но в Венесуэле, в Кара́касе, я как-то пошла с моей приятельницей, француженкой, на концерт. Собственно, я собиралась идти с Мишей. Но Миша сказал: «Знаешь, у меня нет сил, я так устал, что я там засну. Поезжай с Кармен, я не в состоянии...» Так он всегда отговаривался. А у меня было красивое черное, хотя и очень простое платье. И новый меховой палантин. Я накинула его, и мы с Кармен поехали.

Места у нас были внизу, в партере. А Юра, оказывается, пришел со своими сестрами, они сидели наверху, в ложе. И в антракте мы встретились с его сестрами в фойе. Мы уже были знакомы, и они говорили, что мы с мужем должны непременно прийти к ним в гости, что они нас приглашают и прочее, прочее.

После этого чу́дного концерта Кармен зашла ко мне — у нас квартиры были напротив — пить чай, я была еще под впечатлением музыки, и вдруг она мне говорит:

— Будь осторожна!

— В чем? Почему?

— Ты должна понять...

— Что я должна понять?! О чем ты говоришь?

— Как же ты не заметила: у нас за спиной стоял их брат... Осторожней! Я смотрела на него, когда они были в ложе, — он не спускал с тебя глаз!

Я только рассмеялась.

— Неужели ты не видела, как он на тебя смотрит?

— Конечно нет!

— Ну, будь осторожней!

Миша был агентом по продаже автомобилей. Он часто надолго уезжал из дому: на неделю, на две.

Митя был еще совсем маленький, ему было что-то годика два.

Однажды вечером я была дома одна. Кармен, с которой мы могли прохохотать два дня подряд, отсутствовала, она, как всегда, бегала за мужиками. Было уже довольно поздно, я сидела читала, Митя спал, и мне было очень тоскливо.

Я не находила себе места: вставала, садилась, ходила по комнате — со мной делалось что-то непонятное.

Вдруг какая-то сила заставила меня подойти к окну. Я распахнула окно — мы жили на восьмом этаже, — и в этот самый момент внизу остановилась машина. Из нее вышел Юра и расплачивался с шофером.

Он увидел меня в окне и спросил снизу: «Можно ли мне к вам подняться?»

Он пригласил меня в кафе. Мы спустились вниз, денег у него не было ни копейки, но все его знали. И мы провели с ним там всю ночь до утра.

С этого все началось.

Я сказала Мише:

— Я устала от всего этого. Я хочу уйти от тебя. Я была гораздо счастливей до нашей встречи...

Он посмотрел на меня и сказал:

— Ты уйдешь — и я покончу с собой.

И я знала, что это не слова, что он так и сделает.

Когда я уже окончательно решила уйти от Миши и хотела сказать ему об этом, я пришла домой, открыла дверь в квартиру — и увидела, что вся прихожая и весь коридор в цветах.

Мишу я любила, но не была в него влюблена до безумия, как бывает. Мне как-то жалко было его. Меня, я знаю, он очень любил.

Но я не могла с ним оставаться. И разлука была для него очень тяжела. Он ужасно страдал. Ужасно! Мы прожили с ним года четыре, что-то около этого.

Юра был для меня воплощением старой России. Как последний русский. Гулянья, Масленица, цыгане, Острова — я так себе и представляла Россию. Он происходил из старинного рода Дурново. В нашем доме всегда висели гравированные портреты его знатных предков.

В Юре была какая-то русская широта. Он чудесно пел, играл на гитаре. И пил, как пьют только русские. Красиво одевался, и все на нем сидело как с иголочки.

Когда-то в молодости он учился физике в Германии, у великого Эйнштейна. Знал князя Юсупова, который участвовал в убийстве Распутина...

Я уже не помню, откуда у меня перепечатанное на машинке стихотворение и кто его написал, но оно нравилось Юре, и я его храню.

Русская культура — это наша детская
С трепетной лампадой, с мамой дорогой,
Русская культура — это молодецкая
Тройка с колокольчиком, с расписной дугой.

Русская культура — это сказки пьяные,
Песни колыбельные, грустные до слез,
Русская культура — это разрумяненный,
В рукавицах, в валенках Дедушка Мороз.
Русская культура — это дали Невского
В светло-бледном сумраке северных ночей;
Это — радость Пушкина, горечь Достоевского
И стихов Жуковского благостный елей...
Русская культура — это кисть Маковского,
Гений Менделеева, Лермонтов и Даль;
Терема и маковки, звон Кремля Московского,
Музыка Чайковского — сладкая печаль.
Русская культура — это вязь кириллицы
На заздравной чарочке «яровских» цыган;
Жемчуг на кокошнике у простой кормилицы,
С поясом чеканным кучерской кафтан...
Русская культура — это то, чем славился
Со времен Владимира наш народ большой,
Это — наша женщина, русская красавица,
Это — наша девушка, чистая душой.
Русская культура — это жизнь убогая
С вечными надеждами, с замками... во сне,
Русская культура — это что-то многое,
Что не обретается ни в одной стране.

21.VI. 1953

За те полвека, что я живу в Венесуэле, со мной было много чего — не хочется и вспоминать!

Но о своем книжном магазине, который просуществовал больше двадцати лет, я вспоминаю с удовольствием.

Как только я его открыла, ко мне сразу стали приходить люди. У меня была только специальная литература — по мистике, английская и, конечно, испанская. Назывался мой магазин «Либериа Интернасиональ» и помещался на авеню де Боливар, в Валенсии, на первом этаже многоэтажного дома. Теперь этого магазина уже нет...

Книги я выбирала в Кара́касе и тащила на себе, или мне привозили пачки из уже отобранного мной.

Открывался магазин в восемь часов утра и закрывался в семь, в самые жаркие часы дня — с двенадцати до трех — был перерыв.

Со мной еще работала моя помощница, полька, приехавшая в Венесуэлу из Австралии. Сейчас она, конечно, уже немолода, мы иногда с ней видимся.

Мне больно, как обошелся с ней Юра. Она споткнулась, упала в моем магазине и повредила ногу. Попала в больницу, а когда из нее вышла, Юра отказался взять ее назад и ничего ей не заплатил. Я с ним ссорилась, но он был непреклонен. Он не любил поляков. Что мне оставалось? Развестись?..

Не скрою, меня саму интересовали книги по мистике, и я всегда их читала. Потом в Валенсии стали открываться другие книжные магазины, но уже не такого точно направления. Это сейчас книжных магазинов в Валенсии полно́. А когда я открывала свой, было всего два или три. Половину моих покупателей составляли американцы, и всегда в магазине был народ. Я продавала и покетбук, и детские книжки. Все это умещалось на четырех или пяти стендах-вертушках.

Когда магазин уже закрылся, я еще долго встречала на улице людей, которые со мной здоровались. Многих из них я уже не узнавала, не помнила, но понимала, что это все мои бывшие покупатели.

Десятилетия спустя после того, как я покинула Россию, я открыла как-то нашу с Даней Библию, и из нее выпала записка. Его записка. Она оказалась почти совсем съедена старостью, вся в желтых пятнах. Но это была его рука.

«Дорогая Марина,
я пошёл в Союз. Может быть, Бог даст, получу немного денег. Потом к 3 часам я должен зайти в „Искусство“.

От 6–7 у меня диспансер. Надеюсь, до диспансера побывать дома.

Крепко целую тебя.

Храни тебя Бог.

Даня

♄ ⟨Суббота⟩, 9 ♍ ⟨августа⟩, 1941 года.
11 ч. 20 м.»

Нет, по-своему он меня любил, безусловно любил.

Уже в семидесятые годы Глеб Урман, который тогда переводил Хармса на французский для издательства «Галлимар» и который приезжал в Петербург, передал мне привет от Яши Друскина. Я была ему очень рада. И я никогда не могу забыть тот суп, которым он поделился со мной, когда я пришла к нему, узнав о смерти Дани.

Внутри меня, в душе, все еще живо. Я обожаю Аничков мост, Эрмитаж, я помню, как начинался ледоход на Неве, как сталкивались льдины — пш-ш-ш! пш-га-ш! — это такая мощь! такая красота! я обожаю евреев — и вся моя жизнь, как Нева, бежит... Но когда я возвращаюсь к тому, что было, когда я думаю, что́ они сделали с Даней, который был такой красивый, чистый и мог быть счастливый, — я не нахожу им оправданья и не могу простить, я не могу простить моей стране то, что я там пережила, — такой у меня характер. Никогда не могу забыть и простить.

Я видела фотографию в каком-то журнале. Последнюю Данину фотографию, из его следственного дела. Страшная, страшная... Даже нельзя себе представить, что это — Даня. Он не похож на себя, совершенно как сумасшедший. Я несколько ночей потом не спала.

На это невозможно смотреть. Зачем ее напечатали, распространили? Жестокий народ.

Ужасно, что́ он пережил за те месяцы, что был в тюрьме. Он там пробыл до смерти почти полгода: конец августа, сентябрь, октябрь, ноябрь, декабрь, январь и начало февраля.

Господи, так мучить людей! Это же надо быть канальей, чтобы творить такие вещи!

Я все думаю: зачем, зачем мучили? за что?! кому он мешал? писал детские книжки...

Я поражена, сколько рукописей Дани сохранилось. И то, что сохранилось столько, — это что-то из области чудотворного.

Я даже и не знала, что он столько написал, столько успел написать.

Я уже не говорю об НКВД. Но в тот дом, где мы жили с Даней, упала бомба, а нашу квартиру не задело. Мы всей семьей — бабушка, мама, Ольга и я — собрались в квартире на канале Грибоедова, в писательском доме, куда я переехала. И я помню, как мы с Ольгой тащили туда бабушку.

Нет, все, что со мной было, не укладывается в моей голове! Я теперь живу одна и часто сижу и думаю: что я только не испытала в своей жизни! В России и потом в Германии, когда я была в прислугах у этой злобной тетки. Действительно, был момент, когда я хотела повеситься. Две ночи я лежала с открытыми глазами и говорила себе: «Я больше не могу это вынести... я не могу, не могу!..» И все смотрела на крюк от люстры.

Даже страшно себе представить, сколько страданий может выпасть на одного человека.

Я вообще всегда любила жизнь. Все во мне радовалось ей. И я не сердилась на судьбу за всякие неурядицы, подножки, которые она уготовила, не думала: ах, мы несчастные! ах, как нам не везет! Всегда была надежда, что еще зигзаг — и кривая вывезет. Мы много смеялись, жизнь-то была молодая.

Даня был в жизни нелегким. Но что он меня любил, это я знаю. Только толку с этого не было.

Уже немало лет назад я получила известие, что моя сестра Ольга — у нее была старинная, благородная фамилия — Верховская — после смерти своего мужа отравилась, покончила жизнь самоубийством. Я проплакала несколько ночей. И для меня после этого там не осталось уже никого, о ком бы я могла постоянно думать.

Все, что я вспоминаю, уже очень далеко от меня. Половина, если не больше, уже покрыто в моей памяти мраком. Я многое, очень многое помнила до того дня, как, возвращаясь из Кара́каса от Нины, сестры Юры, за которой я ухаживала, я упала на автобусной станции и потеряла сознание. Сколько я была без сознания: пять минут или полдня, я сама не знаю. Но до этого дня я все очень хорошо помнила.

Господи помилуй! Когда я вспомню все, что я пережила, и всю эту жизнь в России, — о Господи, Твоя воля! Прости меня, пожалуйста.

Ни за какие деньги, ни за что — что бы мне ни дали, любые кольца, бриллианты — никогда в жизни я не увижу больше Россию!

Не раз в наших многодневных разговорах Марина Владимировна Дурново сетовала на то, что мы не повстречались раньше, когда ее память еще удерживала в живых подробностях события уже далеких десятилетий. По ее словам, сколько-то лет назад, возвращаясь от тяжелобольной сестры мужа, за которой она ухаживала, из Кара́каса к себе в Валенсию, она вдруг потеряла сознание на автобусной остановке. Вот так — стояла, читала книгу — и упала. И с тех пор многое из того, что с ней было в прошлом, перестала помнить.

Очень часто на мои вопросы она отвечала: «Не помню», «Не знаю, это я не могу вспомнить...», «Что не помню, то честно не помню» и так далее в том же духе. А если я пытался по какому-нибудь поводу разбудить ее память, говорила: «Не могу сказать, потому что никогда не вру». И: «Если я начну сказки рассказывать, то что в этом проку?»

Все-таки, не скрою, у меня оставались сомнения, насколько хорошо она помнит те или иные события, свидетелем которых была, и те, которые отчасти мне были известны по другим источникам. Однако во время перевода воспоминаний на бумагу многие мои сомнения постепенно рассеивались, отпали.

Один только пример, подтверждающий цепкость и точность ее памяти. Как помнит читатель, Марина Владимировна рассказывала, что была на похоронах Казимира Малевича. И гроб, в котором лежал Малевич, был какой-то необычной формы, его, как ей казалось, сделали по рисунку Хармса и Введенского. (Лидия Гинзбург записала в 1935 году: «Супрематический гроб был исполнен по рисунку покойника».) Но в чем заключалась эта необычность, Марина Владимировна объяснить не могла.

После того как в декабре 1996 года я опубликовал в «Литературной газете» очерк «Жена Хармса», где рассказывал о своей встрече с ней, ко мне пришла вместе со своей московской знакомой немецкая кинематографистка, режиссер документального кино Юта Херхер. Оказалось, что она снимала почти часовой фильм о Казимире Малевиче. И я спросил ее, правда ли, что гроб Малевича был не совсем обыкновенный по форме? Гроб, сказала Юта Херхер, был самый обычный, ничем не отличающийся от принятого стандарта. Она даже сказала, что в ее фильме есть кадр (видимо, воспроизводящий фотографию), в котором запечатлены похороны Малевича и виден этот гроб.

Я приуныл. Значит, память Марины Владимировны — даже когда она уверена в своем рассказе — настолько несовершенна? И я уже подумывал о том, оставлять или не оставлять эту деталь в ее воспоминаниях.

Прошел ровно год с посещения Юты Херхер — и вот в «Русской мысли» (1998. № 4204) читаю заметку о посмертной выставке в Третьяковке художницы А. Лепорской, ученицы Малевича. И там не только сказано, что на одной из фотографий, представленных на выставке, «муж [художник Николай Суетин] и жена [Анна Лепорская] возле супрематического гроба учителя», но и воспроизведена эта самая фотография. Несколько фотографий, на которых можно рассмотреть гроб, было и в одном уже давнем западном каталоге. А в книге Василия Ракитина «Николай Михайлович Суетин» (М.: RA, 1998) есть вообще фотография этого необычного гроба работы Н. Суетина, как здесь написано...

Я еще хочу сказать, что, конечно, воспоминания Марины Владимировны, по прошествии стольких лет, о которых она повествует, не лились потоком, день за днем, год за годом, то есть не были слишком стройными. Она все же не профессиональный мемуарист, а просто женщина, жена Даниила Хармса (с весны 1934 года до его гибели в застенке 2 февраля 1942-го), пережившая безмерно много печального. Поэтому что-то в ее рассказе высветилось отчетливо, а что-то ушло в тень. Поэтому же не обо всех событиях и людях она вспоминает связно, соблюдая повествовательную логику. Но я не считал себя вправе привносить эту логику в ее воспоминания.

И последнее. Что бы еще я ни пояснял и ни говорил о мемуарах Марины Дурново, все равно кажется невероятным, что в конце уходящего века нам может рассказать о Данииле Хармсе человек, столь ему близкий.

Владимир Глоцер

1996–1999

Глоцер В.

Г54 Марина Дурново. Мой муж Даниил Хармс / Владимир Глоцер. — М. : КоЛибри, Азбука-Аттикус, 2015. — 160 с. + вкл. (16 с.).

ISBN 978-5-389-09156-6

Владимиру Глоцеру, известному литературоведу, специалисту по творчеству писателей группы ОБЭРИУ (Даниил Хармс, Александр Введенский, Николай Олейников), удалось совершить невероятное — отыскать в Венесуэле последнюю жену Хармса, Марину Владимировну Дурново (в девичестве Малич), свидетельницу последних лет жизни писателя. Отправившись в Венесуэлу, он встретился с «изящной маленькой женщиной, с голубыми глазами, очень живой, подвижной», сохранившей удивительные воспоминания не только о Хармсе, но и о жизни в Ленинграде после ареста мужа, о войне и бегстве из осажденного города, о работе в Германии и о многом другом, что поместилось на страницах этой небольшой, волнующей книжки.

УДК 821.161.1
ББК 84(2Рос-Рус)6-44

Литературно-художественное издание

ВЛАДИМИР ИОСИФОВИЧ ГЛОЦЕР

МАРИНА ДУРНОВО.
МОЙ МУЖ ДАНИИЛ ХАРМС

Ответственный редактор Кирилл Красник
Художественный редактор Валерий Гореликов
Технический редактор Татьяна Тихомирова
Корректоры Светлана Федорова, Татьяна Бородулина

Подписано в печать 10.02.2015. Формат издания 70 × 100 1/32.
Печать офсетная. Тираж 3000 экз. Усл. печ. л. 7,75 (включая вклейки).
Заказ № 6920/15.

Знак информационной продукции
(Федеральный закон № 436-ФЗ от 29.12.2010 г.): 16+

ООО «Издательская Группа „Азбука-Аттикус“» —
обладатель товарного знака „Издательство КоЛибри“
119334, г. Москва, 5-й Донской проезд, д. 15, стр. 4

Филиал ООО «Издательская Группа „Азбука-Аттикус“»
в Санкт-Петербурге
191123, г. Санкт-Петербург, Воскресенская наб., д. 12, лит. А

ЧП «Издательство „Махаон-Украина“»
04073, г. Киев, Московский пр., д. 6 (2-й этаж)

Отпечатано в соответствии с предоставленными материалами
в ООО «ИПК Парето-Принт».
170546, Тверская область, Промышленная зона Боровлево-1, комплекс № 3А.
www.pareto-print.ru

ПО ВОПРОСАМ РАСПРОСТРАНЕНИЯ ОБРАЩАЙТЕСЬ:

В Москве: ООО «Издательская Группа „Азбука-Аттикус“»
Тел.: (495) 933-76-01, факс: (495) 933-76-19
E-mail: sales@atticus-group.ru; info@azbooka-m.ru

В Санкт-Петербурге: Филиал ООО «Издательская Группа „Азбука-Аттикус“»
Тел.: (812) 327-04-55, факс: (812) 327-01-60
E-mail: trade@azbooka.spb.ru; atticus@azbooka.spb.ru

В Киеве: ЧП «Издательство „Махаон-Украина“»
Тел./факс: (044) 490-99-01. E-mail: sale@machaon.kiev.ua

Информация о новинках и планах, а также условия сотрудничества
на сайтах: www.azbooka.ru, www.atticus-group.ru